Ein neuer Weg zur
Jazz Improvisation
7. Ausgabe

Band 1 von Jamey Aebersold

DEUTSCHE ÜBERSETZUNG

Liste der Audio-Tracks

1 Stimmton (B♭ und A, A = 440 Hertz)
2 F-, E♭-, D- (achttaktige Phrasen, 4x gespielt)
3 F-, E♭-, D- (achttaktige Phrasen, 4x gespielt)
4 Beliebige Mollakkorde (achttaktige Phrasen, 3x gespielt)
5 Beliebige Mollakkorde (viertaktige Phrasen, 4x gespielt)
6 Viertaktige Kadenzen (2x gespielt)
7 Blues in B♭
8 Blues in F
9 Dominantseptakkord-Zyklus (viertaktige Phrasen, 2x gespielt)
10 24taktiges Stück (5x gespielt)
11 Moll-Dominantsept, II-V7 (5x gespielt)
12 Anleitung (Englisch)
13 Track 2 mit den Beispielen 1-4
14 Track 2 mit den Beispielen 5-8
15 Track 2 mit den Beispielen 9-12
16 Track 2 mit den Beispielen 13-16
17 Track 2 mit den Beispielen 17-20
18 Track 2 mit Jamey's Solo
19 Track 2 mit Jamey's Solo
20 B♭-Blues mit den ersten 8 Übungen von Seite 31
21 Jamey's Solo über Blues in B♭

Auf **CD 2** finden Sie alle Tracks in einem **langsameren Tempo**.

  Die Audio-Dateien bilden einen wichtigen Bestandteil dieser Methode und waren früher auf zwei CDs beigefügt.
Mit dem folgenden Code können Sie die Audio-Dateien nun auf der Seite
www.schott-music.com/online-material kostenfrei herunterladen: **AEB41jam**

Im Verlauf wird weiterhin auf die CDs Bezug genommen.

© 1996, 2003, 2014, 2023 by advance music GmbH, Mainz – Printed in Germany
Alle Rechte des Nachdrucks und der Vervielfältigung jeglicher Art
(einschließlich Fotokopie und Speicherung auf digitalen Datenträgern) vorbehalten
Übersetzung: Hermann Martlreiter, Walter Gruber, Hans Gruber
Einbandentwurf: Pete Gearhart
Layout: Thomas M. Zentawer
Copyright der amerikanischen Originalausgabe
© 1967 by Jamey Aebersold

Revised 6th Edition
© 1992 by Jamey Aebersold
International Copyright Secured

INHALT

Einige Worte vorneweg 4
Linke und rechte Gehirnhälfte 4
Einleitung 5
Über die Anwendung 7
   Anleitung zum Üben aller Skalen, Akkorde,
   Patterns oder Ideen 9
   Wie soll ich mit den Aufnahmen üben? 11
Wir fangen an! 20 Übungen in C 12
   Übungen in Achtelnoten und Swing 18
Zusätzliches Lehrmaterial 23
Der Einstieg in die Improvisation 24
   Checkliste 26
   Die Erweiterung des Tonumfanges 27
   Steigerung der Kreativität 27
   Wie beginne ich eine Phrase oder Melodie? ... 29
   Welche grundsätzlichen Dinge sind beim
   Improvisieren zu beachten? 30
   Was bedeutet »Hören« wirklich? 31
   Übungsplan zum Auswendiglernen
   der Skalen und Akkorde eines Stücks 31
   Zählzeit 1 und 3 sind wichtig 32
Empfohlene Bücher mit Solotranskriptionen . 33
Die Bebop-Skala 34
Hörtraining 35
Pentatonische Skalen und ihre Anwendung .. 36
Chromatik 39
   Die chromatische Tonleiter ist das
   musikalische Alphabet 42
Der Blues 44
   Zusammenfassung 47
   Die Bluesskala und ihre Anwendung 48
   Die zwölf Bluesskalen im Violinschlüssel 48
   Die zwölf Bluesskalen im Baßschlüssel 49
Septakkorde 50
Time und Feeling 52
**Melodische Entwicklung,
Spannung und Entspannung** 53
   Elemente, die Spannung oder
   Entspannung erzeugen 56

Verwandte Skalen und Modi 57
Artikulation
   - wie kann ich mich besser ausdrücken? 59
   Einige Punkte, die beim Improvisieren
   zu beachten sind 60
Nomenklatur 63
**Die zwölf Moll-, Dur- und
Dominantseptakkorde** 64
Einleitung zum Skalenverzeichnis 65
   Skalenverzeichnis 66
   Verzeichnis der Dominantseptskalen 68
   Dur-, Moll- und Dominantseptskalen
   im Violin- und Baßschlüssel 69
Repertoire-Liste für Einsteiger 73
   Wie man ein Stück lernt 74
   Bitte eines Musikstudenten 74
Liste von Standards 75
Plattenempfehlungen 76

ANHANG

Zehn grundlegende Patterns 78
Akkordfolgen in C 80
Bluesthemen in C 85
Akkordfolgen in B♭ 87
Bluesthemen in B♭ 92
20 Übungen in B♭ 94
Akkordfolgen in E♭ 101
Bluesthemen in E♭ 106
20 Übungen in E♭ 108
Akkordfolgen im Baßschlüssel 115
Bluesthemen im Baßschlüssel 120
20 Übungen im Baßschlüssel 122
Praktische Übungen 128
   Übungen in C 130
Titelregister der Aebersold Reihe 134
Literaturempfehlungen 136

Einige Worte vorneweg

Dieses Buch enthält viele Informationen und sollte aus diesem Grunde langsam gelesen werden. Lassen Sie sich Zeit, ohne dabei ein schlechtes Gewissen zu bekommen. Schließlich halten Sie das Wissen mehrerer Jahre in den Händen. Erwarten Sie nicht, es von einem Tag auf den andern zu erwerben.

Wissen ist eine Sache; es anwenden zu können, eine andere. Dieses Buch vermittelt Wissen und Verständnis. Aber nur wenn Sie beides in die Praxis umsetzen können, kann der Zuhörer etwas damit anfangen. In der Musik ist ein vorgespieltes Beispiel mehr wert als viele Worte.

Das Entdecken der SCHÖPFERISCHEN QUELLE, die in Ihrem Bewußtsein steckt, kann Sie zu einem erfüllteren Musiker machen. Ich kann Ihnen dabei helfen.

Linke und rechte Gehirnhälfte

Jazzmusiker haben die Musik zunächst im Kopf, dann arbeiten und üben sie, bis sie diese Ideen auf ihren Instrumenten spielen können. Grundlage dafür bildet das Beherrschen der Fingersätze und der Tonleitern und Akkorde (Arpeggien) der jeweiligen Harmonien. Vergessen Sie aber beim Erlernen dieser Grundlagen nie den Spaß am Musizieren. Spaß beim Spielen einer einfachen Melodie, die wir im Kopf haben, zu empfinden, ist genauso wichtig wie das Erlernen von Tonleitern, Akkorden, Fingersätzen, Technik etc.

Die erfolgreichsten Musiker sind diejenigen, die das Wissen der linken Gehirnhälfte mit der kreativen, rechten Gehirnhälfte verbinden können. Wer nur nach Gehör spielen kann (rechte Gehirnhälfte), wird auf das beschränkt sein, was er eben kennt. Wer die linke Gehirnhälfte überbetont, wird wie eine gutgeölte Jazzmaschine klingen, aber nicht unbedingt besonders originell.

Wenn Sie mit dem Üben der verschiedenen Stücken von Band 1 beginnen, schlage ich daher eine Arbeitsweise vor, die beide Gehirnhälften miteinbezieht. Das Schlüsselwort heißt Kooperation, d.h., Sie kooperieren mit sich selbst. Üben Sie die Tonleitern, Akkorde, Patterns und Licks, bis Sie über die Harmonien der Stücke spielen können, ohne dabei nachdenken zu müssen. Gehen Sie mit den verschiedenen Akkordfolgen und Tonarten aber auch gleichzeitig spontan, kreativ und phantasievoll um. Riskieren Sie ruhig etwas! Achten Sie auf das, was Sie im Kopf hören. Versuchen Sie dann, es zu analysieren und es mit passender Artikulation und einem guten *Feeling* zu spielen. Das Ziel ist, beide Gehirnhälften miteinander in Einklang zu bringen.

Da es für dieselben Akkorde und Tonleitern unterschiedliche Symbole gibt und professionelle Musiker oft unterschiedliche Ausdrücke benutzen, blättern Sie am besten JETZT GLEICH zur NOMENKLATURSEITE auf Seite 63 und machen sich mit der Terminologie vertraut. Das wird sich beim Lesen des Buches immer wieder als nützlich erweisen. Im Prinzip steht jedes Akkordsymbol sowohl für einen Akkord als auch für eine Tonleiter. Die NOMENKLATURSEITE zeigt Ihnen die verschiedenen Akkord -und Skalentypen zusammen mit ihren abgekürzten Symbolen.

Einleitung

Ich habe nie jemanden kennengelernt, der nicht improvisieren konnte. Hingegen kenne ich viele, die glauben, nicht improvisieren zu können. Der Geist macht die Musik und was man sich fest vornimmt, erreicht man auch. Eine positive Einstellung trägt viel zu einer erfolgreichen Improvisation bei.

Oft hört man, daß Jazz nicht gelehrt werden kann. Aber genau das tun ich und viele andere bereits seit Jahren. Jedoch ist die Vielzahl der auf dem Markt erhältlichen Methoden für den Anfänger manchmal verwirrend. Als 1967 dieses Buch mit der dazugehörigen Platte erschien, meinten viele, damit sofort zu einem großartigen Jazzmusiker zu werden. Der Erwerb dieses Buches reicht allerdings nicht aus, um sofort gute Musik spielen zu können. Wenn Sie aber den Inhalt dieser Methode sorgfältig studieren, garantiere ich Ihnen, daß Sie mit Ihren musikalischen Fortschritten zufriedener sein werden. Hier nun einige Fakten, die für einen angehenden Jazzsolisten wichtig sind:

- Der Wunsch, zu improvisieren.
- Jazz mit Aufnahmen und in Konzerten zu erleben.
- Eine Arbeitsmethode - wie und was üben!
- Eine Rhythmusgruppe zum Üben und Improvisieren.
- Selbstachtung und Disziplin.

Jazzmusiker verwenden genauso die grundlegenden Elemente der Musik. Einige davon sind in diesem Buch enthalten, mit deren Hilfe Sie die Musik, die Sie persönlich gerne spielen möchten und sicher im Gedächtnis haben, realisieren können. Die elementarsten Dinge in der Musik, abgesehen von Geräuschen und Pausen, sind Skalen und Akkorde.

Wirft man einen Blick auf irgend ein transkribiertes Solo der Jazzgeschichte, sieht man sofort, daß Phrasen verwendet werden, in denen Skalen, Akkorde, diatonische Muster, chromatische Passagen, Intervallsprünge, Pausen und die meisten anderen musikalischen Ausdrucksmittel enthalten sind. Jazz ist nichts mystisches und sicher nicht einigen wenigen vorbehalten. Die Kunst des Improvisierens existiert schon seit Jahrhunderten. In diesem Jahrhundert hat sich diese Kunstform unter dem Begriff Jazz etabliert.

Für mich ist Jazz ein Ausdrucksmittel, das dem Solisten erlaubt, auf eine ganz spezielle Art mit dem Zuhörer in Verbindung zu treten. Jazz ist keine Einbahnstraße – Gehör und Verstand des Zuhörers sind genauso wichtig wie die Musik, die gerade gespielt wird. Es ist falsch, den Jazz zu isolieren. Vielmehr muß man mehr Menschen ermöglichen, seine Botschaft zu hören und aktives Spiel aufzunehmen. Der alte Mythos »Entweder man hat es, oder man hat es nicht« ist wirklich unsinnig. Er gründet sich auf die Unfähigkeit und Abneigung von Musikern, ihr Wissen mit Menschen, die sich selbst für unbegabt halten, zu teilen.

Dieses Buch enthält einige Übungen, die in drei Tonarten notiert sind. Die ersten 20 Übungen wurden transponiert und befinden sich im Anhang; sie stimmen mit den Akkordfolgen der ersten Titel überein und sind, wie alle anderen Übungen, dazu da, ein höheres Maß an Geläufigkeit zu vermitteln. Das wird Ihnen in der Folge ermöglichen – mit den Fingern, der Zunge, den Händen, Augen und Lippen etc. – Ihre Einfälle schneller, gezielter und präziser umzusetzen. Manche Musiker lernen Phrase um Phrase auswendig und spielen dann wie eine Maschine alles herunter. Am wichtigsten ist es, keine Maschine zu werden, sondern einen höheren Grad an musikalischer Intuition zu erreichen, mit der man sich selbst auf dem Instrument verwirklichen kann. Vergessen Sie deshalb niemals, daß die Übungen lediglich ein Mittel zum Zweck sind. Das Üben von Etüden, Licks, Skalen und Akkorden sollte zu einer expressiveren Kreativität führen!

Jeder kann improvisieren. Das war schon immer die natürlichste Art, Musik zu machen. Es ist eine Technik, die wir entweder vergessen haben oder für die wir uns nicht gut genug halten.

Die ersten 20 Übungen sind für ALLE Instrumente transponiert. Ich weiß, daß manche alle Übungen dieses Buches in allen Tonarten spielten, bevor sie den ersten Titel mit der Aufnahme zu improvisieren versuchten. Dies ist auch nicht die richtige Methode, denn die Hauptsache ist das Improvisieren und nicht das Spielen von Etüden. Hören Sie sich einen oder mehrere Titel der Schallplatte an und befassen Sie sich mit den dazugehörigen Skalen und Akkorden. Versuchen Sie dann, eine der Übungen des Begleitbuches mit den Aufnahmen zu spielen. Die transponierten Skalen sind im Anhang zu finden. Sie können auch zuerst zur Aufnahme singen und darauf mit dem Instrument zu spielen beginnen. Vergessen Sie nicht, daß jede Tonleiter nur eine bestimmte Zeit erklingt und Sie dann zur nächsten Skala wechseln müssen. Die ersten Aufnahmen sind vier- oder achttaktig. Wenn Sie die Grundprinzipien des Improvisierens bereits verstehen und die Übungen nicht durcharbeiten wollen, können Sie direkt mit dem Improvisieren beginnen und die im Anhang notierten Skalen und Akkorde als Hilfe verwenden.

Vorschlag: Zählen Sie im Geist jeden Takt mit. Achten Sie darauf, wieviele Takte Sie schon gespielt haben, damit Sie genau zur nächsten Skala bzw. zum nächsten Akkord wechseln. Jede Skala hat eine bestimmte Anzahl an Vorzeichen. Versuchen Sie sie auswendig zu lernen, damit Sie nicht mehr auf die Noten schauen müssen und sich so mehr auf die Musik konzentrieren können. Nur Geduld!!!

Wenn Sie mithören, können Sie wahrscheinlich wieder einsteigen, falls Sie einmal den Faden verloren haben. Hören Sie einfach zu. Der Tonartwechsel ist normalerweise gut zu hören und wird durch einen leichten Akzent des Schlagzeugers angedeutet. Bei der Orientierung helfen uns die Schlagzeuger in der Regel dadurch, daß sie die Form des Stückes in vier- oder achttaktige Phrasen unterteilen. Die beiden Blues dieser Aufnahmen sind 12taktig, können aber in drei viertaktige Phrasen unterteilt werden. Die Anzahl der Chorusse ist immer über dem Stück angegeben.

Jazzmusiker bezeichnen die Harmonien eines Stücks als *changes*, *chords* oder Akkordfolge(n) oder -progression. Sie beziehen sich damit auf die Akkord/Skalenfolge der Harmonien. Die Akkordsymbole bestimmen auch die Skalen, die man beim Improvisieren benutzt. Um Ihnen die Aufgabe zu erleichtern, habe ich bei allen Titeln die notwendigen Skalen angegeben und die Akkordtöne ausgefüllt notiert.

TECHNISCHES RÜSTZEUG

Skalen,
Akkorde (Arpeggien),
Sound,
Artikulation,
Phantasie,
Intuition,
Schaffensdrang,
Rhythmus,
Feeling

Die Anwendung dieses technischen Rüstzeugs vermittelt Ihnen:
Musik, Spaß, Kommunikation, Selbstachtung, Harmonie (im doppelten Sinn!), und Kanäle für Ihre Kreativität.

DAS GEDÄCHTNIS

Das Gedächtnis wurde als Ihr bester Freund geschaffen.
Nur allzuoft handeln wir, als würde unser Gedächtnis von anderen kontrolliert werden anstatt von uns selbst.
Jazz und Improvisation verlangen, daß SIE Ihr Gedächtnis benutzen und die Früchte Ihrer eigenen Kreativität selbst ernten, was ganz natürlich ist.
Die Musik ergänzt das Gedächtnis.
Musik ist ein Baustein des Universums.

Über die Anwendung

Da es sich hier um eine Play-A-Long-Methode handelt, öffnen wir am besten gleich das Buch, um mit der Begleitmusik mitzuspielen. Nehmen Sie den Anhang zur Hand, bevor Sie zu spielen beginnen, und suchen Sie sich die richtige Seite für Ihr Instrument (siehe Inhaltsverzeichnis). Der Stimmton (CD Track 1) ist ein klingendes ›B♭‹.*)

Schauen Sie sich danach CD Track 2 an. Legen Sie die CD auf, und hören Sie einfach der Rhythmusgruppe beim Begleiten zu. Lesen Sie im Anhang mit, und achten Sie darauf, daß Sie genau wissen, in welchem Takt Sie sind, und daß Sie hören können, wenn die Rhythmusgruppe von der ersten dorischen Skala zur zweiten und dann zur dritten wechselt. Die Rhythmusgruppe spielt die drei Skalen viermal in derselben Reihenfolge, danach die Fermate. Sie bildet den Schluß von CD Track 2.

Sie werden sicher bemerkt haben, daß ich unter jedes Akkordsymbol die Tonleiter vom Grundton zur Oktave geschrieben habe. Der Grundton ist der erste Ton jeder Skala und wird auch Tonika genannt. Die ausgefüllten Noten sind die Akkordtöne. Akkordtöne sind der erste, dritte, fünfte und siebte Ton jeder Skala. Da Jazzmusiker schon immer Skalen und Akkorde zum Aufbau ihrer Soli verwenden, ist es logisch, Akkorde genauso intensiv zu lernen, wie Skalen. Ein vollständiger Akkord würde folgende Skalentöne enthalten: 1, 3, 5, 7, 9, 11, 13. Das sind sämtliche Töne der Tonleiter.

Die große Ziffer unter jeder Tonleiter sagt aus, wieviele Takte sie erklingt. Wie Sie sehen können, sind die ersten Titel in vier- und achttaktige Phrasen unterteilt. Versuchen Sie, die Aufnahmen eher in viertaktigen Phrasen zu hören und zu fühlen, als in einzelnen Takten; es wird mit der Zeit zur Gewohnheit. Nach einer Weile brauchen Sie nicht mehr über vier- oder achttaktige Phrasen nachzudenken, sie sind ein Teil von Ihnen geworden. Wenn Sie dann, diese Art in Phrasen zu denken verinnerlicht haben, wird Ihre Improvisation flüssiger und nicht so starr sein. Beim Üben mit anderen sollte ein Musiker, der gerade nicht spielt, die Akkordfolge bzw. den Skalenwechsel anzeigen. Stellen Sie sich achttaktige Phrasen als zwei viertaktige oder vier zweitaktige Phrasen vor.

Vielleicht wollen Sie sich einige Stücke anhören, bevor Sie Ihr Instrument auspacken und mitspielen. Ich empfehle Ihnen, beim Anhören der Aufnahme die Akkordfolgen im Anhang mitzulesen. Sie können auch Grundtöne, Skalen, Akkorde, Phrasen etc. zur Aufnahme singen. Sie sollten aber immer wissen, wo die Rhythmusgruppe gerade ist. Wenn Sie den Faden verlieren, hören Sie einfach zu. Finden Sie immer noch nicht zurück, dann spielen Sie den Titel einfach wieder von vorne. Man nennt das: Dabei bleiben und die Form lernen. Niemand verirrt sich gerne. Für kreative Menschen ist es wichtig, einen inneren Sinn für Formen zu erlangen. Nur so verlieren sie nicht den Faden. Jeder kann das lernen. Zu Wissen, wo man sich in einem Stück befindet, verleiht zusätzliches Selbstvertrauen.

Der vierte Ton von Dur- und Dominantseptakkorden/Skalen erzeugt viel Spannung und wird daher selten betont. Normalerweise wird er als Durchgangston zwischen dem dritten und fünften Skalentönen verwendet. Beenden Sie deshalb niemals eine Dur- oder Dominantseptphrase mit diesem Ton. Versuchen Sie es und Sie werden sofort hören, was ich meine. Bei Moll- oder halbverminderten Akkorden kann man die vierte Skalenstufe (Quarte) jedoch durchaus betonen.

Furcht überwindet man mit Wissen.

*) zu den Audio-Tracks: siehe Seite 2

Vorkenntnisse der Dur-, Dominantsept- und Mollskalen sind von Vorteil, aber nicht unbedingt erforderlich. Sollten Sie diese Skalen noch nicht spielen können, dann empfehle ich, die Dur-, Moll- und Dominantseptskalen ab S. 65 zu lernen. Lesen Sie unbedingt das Kapitel »Verwandte Skalen und Modi« (S. 57). Band 24, »Major & Minor« eignet sich bestens zum Erlernen der Dur- und Molltonleitern und Akkorde. Das Verständnis der Verwandtschaft unter den Skalen ist äußerst hilfreich, weil es Ihnen zeigt, daß eine Griffolge mehreren anderen entsprechen kann. Das erleichtert Ihnen die Arbeit. Jede Molltonleiter, die auf der CD verwendet wird, ist im dorischen Modus. Ich habe diese Skala deshalb verwendet, weil sie im Jazz heutzutage viel gespielt wird. Dieser Mollmodus wird im Buch immer als Skala bezeichnet. Jazz- und Popmusiker verwenden sie seit Jahren. Sie werden manchmal einen Strich (–) neben einem Buchstaben sehen; er bedeutet, daß es sich um einen Mollakkord oder um eine Mollskala handelt. Z.B. F– ist dasselbe wie Fmi7 oder Fmi oder F–7 oder F–9. Sie haben alle dieselbe Bedeutung. Improvisieren Sie einfach über die F Mollskala. Siehe »Verwandte Skalen und Modi«. Weitere Beispiele finden Sie in der NOMENKLATUR auf Seite 63.

In diesem Buch verwende ich generell einen Bindestrich (–) für Mollskalen und -akkorde und ein Dreieck (Δ) für Durskalen bzw. -akkorde. Eine Sieben (7) hinter einem Großbuchstaben bezeichnet einen Dominatseptakkord (C7 oder B♭7).

Es kann sein, daß Sie lieber mit einem der Bluestitel, auf dieser CD, beginnen wollen. Wenn Sie schon über den Blues improvisiert haben, vielleicht in der Schule, dann ist das die richtige Stelle für Sie zum Anfangen. Sehen Sie sich das Kapitel über den Blues an (S. 44).

Schauen Sie sich auf jeden Fall die zehn grundlegenden Patterns auf der ersten Seite des Anhangs an (Violin- oder Baßschlüssel). Diese Seite ist sehr wichtig und steht in engem Zusammenhang mit dem nächsten Kapitel »Anleitung zum Üben aller Skalen, Akkorde, Patterns oder Ideen«. Sogar Profis verwenden diese Art von Übungen, wenn Sie ein neues Musikstück erarbeiten. Das gibt Ihnen die Möglichkeit, jede Skala und jeden Akkord methodisch unter Kontrolle zu bekommen, sodaß Sie, wenn Sie zu improvisieren beginnen, bereits mit der Harmoniefolge vertraut sind.

Die Molltonleiter (dorisch) entspricht der Durtonleiter einen Ganzton tiefer. Beispiel: F– ist dasselbe wie E♭-Dur (3 ♭), D– dasselbe wie C-Dur (keine Vorzeichen), und A– dasselbe wie G-Dur (ein ♯). Lesen Sie unbedingt das Kapitel über verwandte Skalen und Modi auf Seite 57.

Pianisten, Gitarristen und Instrumentalisten, die sich dafür interessieren, mehr über Piano Voicings zu lernen, empfehle ich das Buch »Transcribed Piano Voicings«. Es enthält jedes Voicing und jeden Rhythmus, den ich auf dieser Platte spiele.

Die Stereoaufteilung der Aufnahme gestattet es den Pianisten, den Klavierkanal abzudrehen und mit Baß und Schlagzeug auf dem linken Kanal zu üben. Bassisten empfehle ich das Heft »Rufus Reid Bass Lines«, transkribiert von Vol. 1 und 3 aus dieser Serie. Dieser Band enthält jede Note, die Rufus Reid über die Akkordsymbole eines jeden Taktes spielt. Bassisten können den linken Kanal ausblenden und mit Klavier und Schlagzeug auf dem rechten Kanal üben.

- **Es gibt keine falschen Töne, sondern nur schlecht gewählte.**
- **Wenn Sie einen falschen (schlecht gewählten) Ton spielen, gehen Sie einfach einen Halbton nach oben oder unten. Sie sind immer nur einen Halbton von einem richtigen Ton entfernt.**
- **Entdecken Sie beim Musizieren das Kind in sich. Riskieren Sie etwas, aber hören Sie genau hin.**
- **Nehmen Sie sich auf Tonband auf und haben Sie keine Angst, es anzuhören.**

Angst = Falschen Beweis für richtig erachten

Anleitung zum Üben aller Skalen, Akkorde, Patterns oder Ideen

Eines der erklärten Ziele des Improvisierens ist die Reproduktion dessen, was man Sekundenbruchteile zuvor bereits in Gedanken gehört hat. Für Musiker, die nur nach Noten spielen, erscheint dies fast unmöglich. Nichts ist unmöglich, diese Denkweise hat nur zu dem Mythos geführt, der zu allen Zeiten den Himmel derer, die gerne improvisieren wollten, getrübt hat.

Eine sinnvolle Art zu üben ist unten angeführt. Es erübrigt sich zu sagen (ich sage es aber trotzdem), daß Sie die chromatische Tonleiter über den gesamten Tonumfang Ihres Instrumentes beherrschen sollten. Die chromatische Tonleiter ist unser musikalisches Alphabet.

Die Hauptabsicht dieses Konzeptes ist es, Technik und Unabhängigkeit zu vermitteln, so daß Sie spontaner und kreativer spielen können.

Nehmen wir an, Sie arbeiten an einer Skala, die Ihnen Schwierigkeiten bereitet; machen Sie nun folgendes:

- Spielen Sie die Skala vom Grundton bis zur None mehrere Male, langsam und gebunden, aufwärts und abwärts. Steigern Sie dann allmählich das Tempo (die None ist der neunte oder der zweite Ton der Skala).
- Spielen Sie die ersten fünf Töne der Skala mehrere Male aufwärts und abwärts, und steigern Sie allmählich das Tempo.
- Spielen Sie den Dreiklang gebunden aufwärts und abwärts, und steigern Sie allmählich das Tempo.
- Spielen Sie den Septakkord auf dieselbe Art.
- Spielen Sie den Nonenakkord auf dieselbe Art.
- Spielen Sie schließlich die Skala aufwärts und den Nonenakkord abwärts.
- Oder, spielen Sie den Nonenakkord aufwärts und die Skala abwärts.

☞ **Anmerkung:** Auf Seite 31 sind weitere Ratschläge zum Üben eines Stücks.

Sie können diese Übungen mit oder ohne Aufnahme spielen. Wenn Sie mit der Aufnahme üben, müssen Sie manchmal die Phrasenlänge ändern und sie der Akkordfolge anpassen.

Die obigen Übungen können mit beliebigen Notenwerten gespielt werden. Es ist jedoch logisch, in einem Tempo zu beginnen, in dem Sie sich wohlfühlen. Sie können zur Kontrolle Ihrer Fortschritte auch ein Metronom verwenden.

Ein Anfänger wird wahrscheinlich mit ganzen Noten beginnen wollen. Jemand, der bereits seit einem halben Jahr spielt, vielleicht mit halben Noten oder Viertelnoten. Und wer bereits Erfahrung mit Jazzmusik hat und sein Instrument schon seit mehreren Jahren spielt, möglicherweise mit Achtel- oder sogar Sechzehntelnoten. Das Tempo richtet sich nach den technischen Fähigkeiten des Einzelnen. Die meisten Musiker spielen die Übungen mehrere Male aufwärts und abwärts, bevor sie zur nächsten Skala übergehen. In der Jazzmusik werden Achtelnoten häufiger als andere Notenwerte benutzt.

> »Mit einem Lebensfunken wurdest du geboren... um nach der Wahrheit zu suchen, dem Besten, was du sein kannst. Übung. Disziplin. Vorbereitung. Versuche es immer wieder. Dann bist du eines Tages ganz oben und man sagt von dir, du wärst von heute auf morgen erfolgreich, weil du ein Naturtalent seist. Und du lächelst, wohlwissend.«
>
> Anonym

Verwenden Sie diese Methode, wann immer Sie mit einem neuen Akkord, oder einer neuen Skala konfrontiert werden, um herauszufinden, wo Ihre Schwachstellen sind. Arbeiten Sie daran in der vorgeschlagenen Art und Weise. Verlieren Sie das Tempo nicht aus dem Auge, in dem die Tonleiter später gespielt werden soll und beziehen Sie es in Ihre Übungen mit ein.

Die Übungen 1-7 sind auf den Seiten 78 und 79 (»Zehn grundlegende Patterns«); es wurden hauptsächlich 16tel verwendet. Spielen Sie sie zunächst langsam und steigern Sie dann allmählich das Tempo.

Wenn Sie eine Akkordfolge, wie den Blues, in Angriff nehmen, empfehle ich dieselbe Methode zur besseren Vorbereitung auf die Improvisation. Üben Sie jede Skala in der Reihenfolge, wie sie in der Akkordfolge vorkommt (mit den oben vorgeschlagenen Übungen), bis Sie sich sicher fühlen. Ein guter Anfang den Blues zu üben wäre, die Skala bis zur None jedes Akkordes zu spielen. Spielen Sie dann die ersten fünf Töne jeder Skala des Blues. Spielen Sie als nächstes den Dreiklang, den Septakkord, den Nonenakkord und schließlich die Skala aufwärts und den Akkord abwärts (Siehe Kapitel »Blues«, S. 44).

Wenn Sie mit den Blues der CD üben, müssen Sie längere Übungen anpassen (wie z.B. die Skala aufwärts und den Akkord abwärts), damit sie zur Aufnahme passen.

Haben Sie mehr Fertigkeit beim Spielen der Skalen und Akkorde erlangt, werden Sie wahrscheinlich die einfacheren Übungen, wie die ersten fünf Töne der Skala, den Dreiklang oder den Septakkord nicht mehr spielen wollen, sondern gleich zur Übung: Skala aufwärts und Akkord abwärts übergehen – oder umgekehrt. Möglicherweise werden Sie gleich zu improvisieren beginnen wollen, da Sie die Skalen und Akkorde bereits kennen.

Zum Üben von Pattern oder Licks – um musikalische Phrasen zu festigen – empfehle ich dieselbe Arbeitsmethode. Teilen Sie die Phrasen in kleinere Abschnitte ein und steigern Sie allmählich das Tempo, bis Sie das erforderliche Tempo erreicht haben. Die Unterteilung von Pattern in kürzere Phrasen, ermöglicht Ihnen, sie technisch und gedanklich schneller zu erfassen. Sobald Sie diese Phrase gut beherrschen, sollten Sie sie erweitern, bis Sie das gesamte Pattern in einer Tonart spielen können. Erst wenn es in einer Tonart gut läuft, sollten Sie zur nächsten wechseln. Ich übe Pattern gerne chromatisch (in Halbtonschritten) aufwärts und abwärts. Spielen Sie z.B. eine Phrase in C7, versuchen Sie sie als nächstes in C#7 und dann in D7 etc. Dies ist ein ausgezeichnetes Hörtraining und wirkt wahre Wunder für die Koordination zwischen Finger, Gedanken und Gehör. Das Buch und die zwei CDs »Gettin' It Together« (Vol. 21 dieser Serie) sind auf dieser Übungsmethode aufgebaut. Sie sollten dieses Set ausprobieren!

Setzen Sie eine gewisse Zeit pro Tag zum Üben der nötigen Skalen, Akkorde und Pattern fest. Titel 1 enthält drei Skalen und Akkorde; fangen Sie mit diesen Skalen zu arbeiten an. Titel 3 enthält sieben Skalen und Akkorde, aber drei von Ihnen sind schon in den vorangegangenen Titeln enthalten, sodaß Sie eigentlich nur vier neue Skalen lernen müssen.

Beachten Sie beim Wechsel von einer Skala zur anderen die »gemeinsamen Töne«. Es gibt immer Töne, die in beiden Skalen enthalten sind; lernen Sie sie zu erkennen.

Jetzt fragen Sie sich wahrscheinlich, können Jazzmusiker von einem Akkord zum anderen derart schnell überwechseln, ohne einen Fehler zu machen? Die Antwort ist JA! Und Sie können es auch! Je vertrauter Sie mit den Fingersätzen (Griffen) für die einzelnen Skalen sind, desto schneller werden Sie von einem Akkord zum anderen wechseln können und dabei sinnvolle Phrasen in einer zusammenhängenden Art verwenden. Ein wirklich guter Musiker kann eine schwierige harmonische Passage kaschieren und sie einfacher erscheinen lassen.

Wiederholung und Sequenz spielen ebenfalls eine wichtige Rolle. Sie gestatten dem Zuhörer, vorauszuahnen, was als nächstes kommt. Er hat dann mehr Spaß an der Musik.

Wenn Sie konsequent und in geordneter und disziplinierter Weise üben, werden Sie schneller zu einem zufriedenstellenden Ergebnis kommen. Jerry Cokers Buch »How To Practice Jazz« ist eine wertvolle Hilfe.

Wir arbeiten alle mit denselben zwölf Tönen der chromatischen Skala. Es ist dumm, zu glauben, daß es »einige haben« und andere eben nicht. Diejenigen, die »es haben«, machen besseren Gebrauch von den musikalischen Gegebenheiten, die uns allen zur Verfügung stehen, und sie teilen sich ihren 24-Stunden-Tag besser ein. Der berühmte Altsaxophonist Charlie Parker übte drei oder vier Jahre lang täglich zwischen elf und fünfzehn Stunden.

- Machen Sie jede neue Idee zu IHRER Idee. Benutzen Sie Ihre Phantasie.
- Gehen Sie das Material langsam und sorgfältig durch. Geben Sie einfach nicht auf!
- Selbst die besten Soli beginnen nur mit einem einzigen Ton.

Wie soll ich mit den Aufnahmen üben?

Sobald Sie mit dem Spielablauf der Rhythmusgruppe vertraut sind, einen oder mehrere Titel angehört, und dabei im Anhang mitgelesen haben, dann halten Sie Ihr Instrument bereit und beginnen die Reise in die Improvisation.

Stimmen Sie Ihr Instrument zum Stimmton (klingend B♭). Blättern Sie zu der entsprechenden Akkord/Skalenprogression. Vergewissern Sie sich, daß Sie die richtige Seite, die zu Ihrem Instrument paßt, aufgeschlagen haben. Im Zweifelsfall sollten Sie im Inhaltsverzeichnis nachsehen.

C Instrumente: Stimmton = B♭ (Tasteninstrumente, Gitarre, Flöte, Oboe, Streichinstrumente)
Die Akkordfolgen für C Instrumente beginnen auf Seite 80. Die nachfolgenden Übungen sind klingend notiert und können von diesen Instrumenten wie notiert gespielt werden.

B♭ Instrumente: Stimmton = C (B♭ Trompete, B♭ Tenor- und Sopransaxophon, Kornett, B♭ Klarinette)
Die Akkordfolgen für B♭ Instrumente beginnen auf Seite 87. Die nachfolgenden Übungen wurden für Sie transponiert, sie beginnen auf Seite 94.

E♭ Instrumente: Stimmton = G (E♭ Alt- und Baritonsaxophon)
Die Akkordfolgen für E♭ Instrumente beginnen auf Seite 101. Die nachfolgenden Übungen wurden für Sie transponiert, sie beginnen auf Seite 108.

Baßschlüssel-Instrumente: Stimmton = B♭ (Baß, Posaune, Cello, Fagott)
Die Akkordfolgen für Instrumente im Baßschlüssel beginnen auf Seite 115. Die nachfolgenden Übungen wurden für Sie transponiert, sie beginnen auf Seite 122.

Jazz wurde traditionsgemäß durch Anhören und Imitation von Musikern weitergegeben, die gut klingende musikalische Ideen spielen. Die folgenden Beispiele wurden von den meisten Musikern irgendwann einmal geübt. Falls Sie ein transponierendes Instrument (in B♭ oder E♭ oder auch im Baßschlüssel) spielen, schauen Sie sich das Beispiel im Buch an und spielen es anschließend transponiert für das jeweilige Instrument. Da ich die Skalen bereits transponiert und die Akkordtöne hervorgehoben habe, ist die Hauptarbeit für Sie schon erledigt. Vergewissern Sie sich lediglich, ob Sie auch auf der richtigen Seite anfangen, falls Sie Trompete, Tenor, Alt, Sopran, Klarinette, Posaune oder andere Instrumente, die im Baßschlüssel notiert werden, spielen.

**Entdecken Sie das Kind in Ihnen. Singen Sie laut.
Lachen ist durchaus erlaubt. Auch über sich selbst!**

Die folgenden 20 Übungen gehören zu Track 2 der Aufnahme. Sobald Sie das Prinzip verstehen, wie die Übungen zum ersten Titel zu spielen sind, können Sie das Erlernte zu den anderen Titeln anwenden. Das Prinzip ist immer dasselbe – lernen Sie die Skalen und Akkorde zu den Harmonien eines jeden Stücks oder Titels. Bleiben Sie im Takt und spielen Sie beim Improvisieren aus Ihrem musikalischen Gedächtnis.

Wir fangen an! – 20 Übungen in C

Wenn Sie noch nicht lange spielen, wird es wahrscheinlich ratsam sein, zuerst die Skala aufwärts in ganzen Noten zu spielen (Beispiel 1). Ich schlage vor, die Noten zu binden oder sehr weich anzustoßen. Hören Sie, wie Baß und Becken die *Time* spielen. Versuchen Sie, die *Time* mitzuspielen – nicht eilen oder das Tempo verschleppen. Fangen Sie gleich nach dem Einzählen an (CD Track 2).

Die ersten 20 Übungen wurden für B♭ (Seite 94-100), E♭ (Seite 108-114) und Baßschlüsselinstrumente (Seite 122-129) transponiert.

Beispiel 1

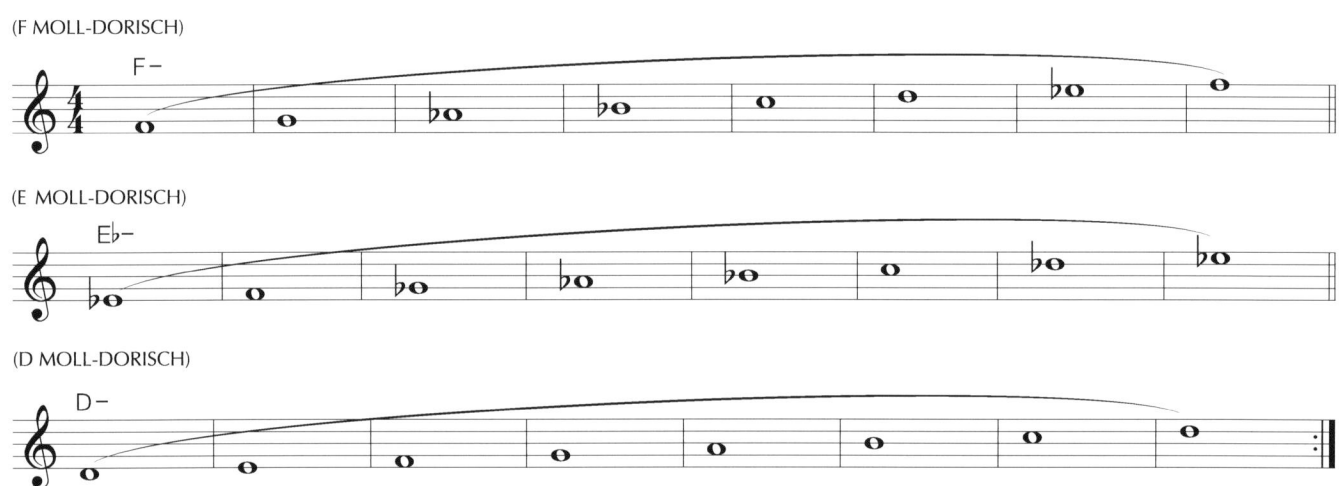

Spielen Sie nun halbe Noten auf- und abwärts (Beispiel 2). Ein Chorus bedeutet, die ganze Akkord/Skalenfolge einmal durchzuspielen. Ein Chorus des ersten Titels ist z. B. 24 Takte lang. Er wird vier Mal gespielt, insgesamt also vier Chorusse. Das ergibt zusammen 96 Takte, aber so sollten Sie nicht zählen. Zählen Sie vielmehr in zwei-, vier- oder achttaktigen Phrasen. Lernen Sie, Musik in Phrasen zu DENKEN und zu HÖREN. Unser Ziel ist es, MUSIK ZU MACHEN!

Beispiel 2

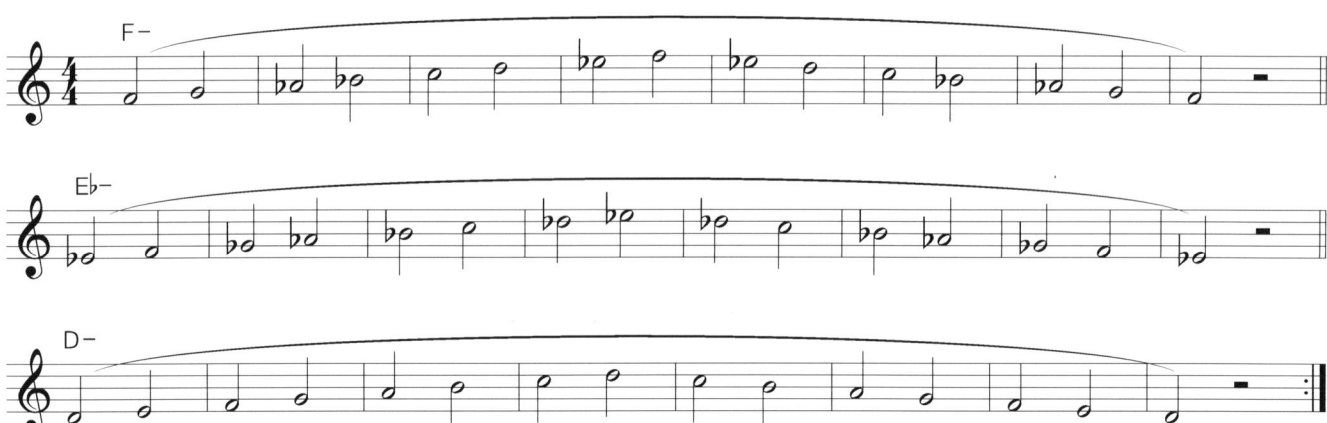

Spielen Sie als nächstes die Skalen in Viertelnoten (siehe Beispiel 3). Spielen Sie gleichmäßig, ohne zu eilen und ohne zu schleppen. Blechbläser sollten am Anfang immer gebunden spielen, nicht gestoßen oder abgehackt. Reißen Sie den Ton nicht durch Wegnehmen der Luft ab. Hören Sie beim Spielen sorgfältig auf die Rhythmusgruppe. Hören Sie auf das Tempo und spielen Sie danach. Gute Musik fließt mit dem Tempo. Auch Übungen sind Musik.

Beispiel 3

Es wird Ihnen aufgefallen sein, daß Sie die Tonleiter in Viertelnoten zweimal aufwärts und abwärts spielen konnten. Versuchen Sie jetzt einen Chorus auswendig zu spielen. Merken Sie sich die Vorzeichen der einzelnen Skalen, oder merken Sie sich die Griffe und den Klang. Machen Sie sich das Hören zur Gewohnheit, und Ihre Ohren werden zu Ihren besten Freunden! Jeder Jazzmusiker merkt sich die Skalen, damit er sich auf seine Ideen konzentrieren kann. Dauernd auf ein Notenblatt schauen zu müssen, kann die Kreativität sehr hemmen. Sie können sich die Noten auch ohne Instrument merken. Versuchen Sie es!

Falls Sie etwas nicht verstehen, fragen Sie einen Freund, rufen Sie jemanden an, suchen Sie einen Musiklehrer oder Musiker auf oder schreiben Sie mir. Auf jede Frage gibt es eine Antwort.

Musik sollte nie kompliziert sein. (Auch wenn es die Musiker manchmal sind).

Bei der nächsten Übung werden nur die ersten fünf Töne verwendet und in halben Noten gespielt (Beispiel 4). Die kleinen Ziffern unter jeder Note bezeichnen die Stufen der Tonleiter.

Beispiel 4

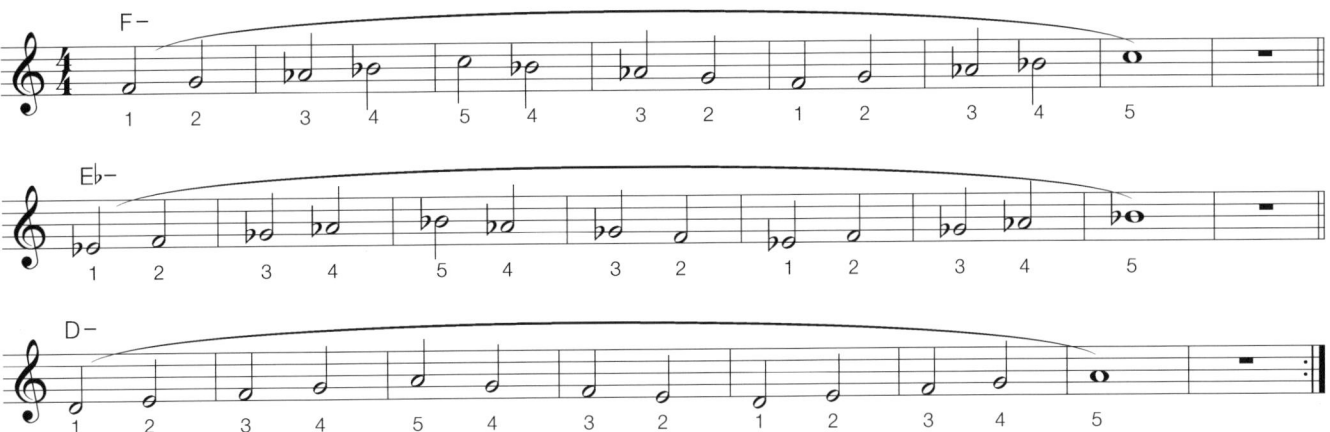

Bei der folgenden Übung werden die ersten fünf Töne in Viertelnoten gespielt (Beispiel 5).

Beispiel 5

Mittlerweile sollten Sie die drei Skalen auswendig beherrschen!

Spielen Sie jetzt diese drei Skalen in Terzen und Halben (Beispiel 6). Beachten Sie, daß diese Übung die None enthält. Spielen Sie *legato* und nicht *staccato*. Ihr *Klang* sollte sich mit der Aufnahme mischen.

Beispiel 6

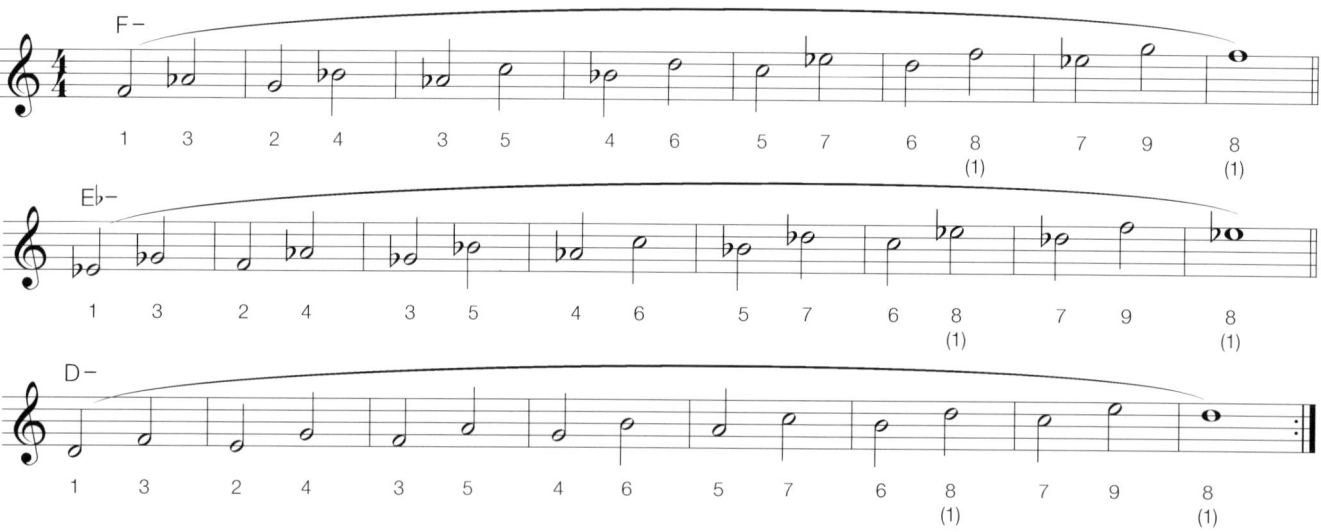

Nun sollten Sie die ersten drei Skalen schon gut beherrschen und hoffentlich auch schon auswendig spielen können. Beim Auswendiglernen denken manche Musiker an die Fingersätze (Griffe), andere wiederum an die Tonart – wieviel Vorzeichen hat die Skala? Verwenden Sie die Methode, die Ihnen am besten zusagt! Verinnerlichen Sie die Noten und Fingersätze. Beim Musizieren hilft Ihnen das in etwa so wie beim Sprechen das Lernen von Wörtern. Noch wichtiger aber ist es, daß Sie sich den KLANG der Skalen und Akkorde merken. Stellen Sie sich die Töne und ihren Klang genau vor, bevor Sie sie spielen. Das tun alle guten Musiker. Sie hören voraus.

Als nächstes werden wir die drei Skalen in Terzen und Viertelnoten auf- und abwärts spielen (Beispiel 7). Benutzen Sie Ihren Verstand, denken Sie mit, denken Sie voraus! Ich schlage Ihnen vor, verschiedene Rhythmusmuster zu verwenden. Denken Sie sich selber welche aus. Das gilt natürlich auch für alle anderen Übungen. Vergessen Sie nicht zu zählen und im Takt zu bleiben.

Beispiel 7

Ihnen sind sicher die ausgefüllten Noten der Skalen im Anhang aufgefallen. Es sind die Akkordtöne – der Grundton (der erste Ton der Skala), die Terz (der dritte Ton der Skala), die Quinte (der fünfte Ton der Skala) und die Septime (der siebte Ton der Skala). Ein vollständiger Akkord würde die folgenden Töne enthalten: Grundton, dritte, fünfte, siebte, neunte, elfte und dreizehnte Stufe. Wahrscheinlich haben Sie bereits erraten, daß dieser vollständige Akkord sämtliche Töne der Tonleiter enthält, aber in anderer Reihenfolge. Akkorde sind vertikal, Skalen horizontal. Spielen wir jetzt eine Übung mit dem Grundton, der Terz und der Quinte. Diese drei Töne ergeben einen Dreiklang (Beispiel 8). Lernen Sie die Beispiele so schnell wie möglich auswendig.

Beispiel 8

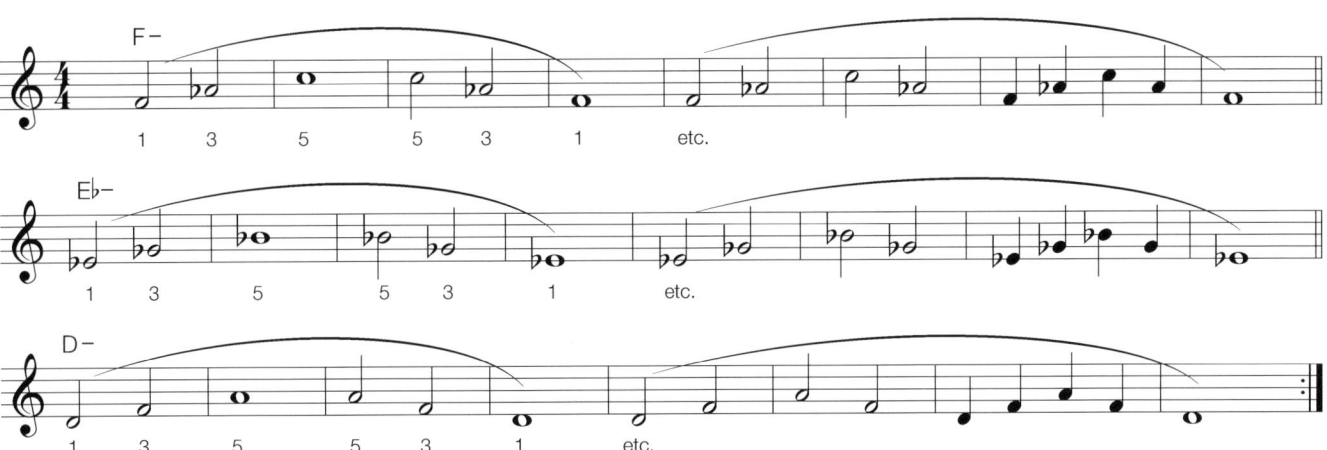

Eine andere Übung mit dem Dreiklang (Tonikadreiklang, weil die Tonika der erste Ton der Tonleiter ist) klingt wie Beispiel 9.

Beispiel 9

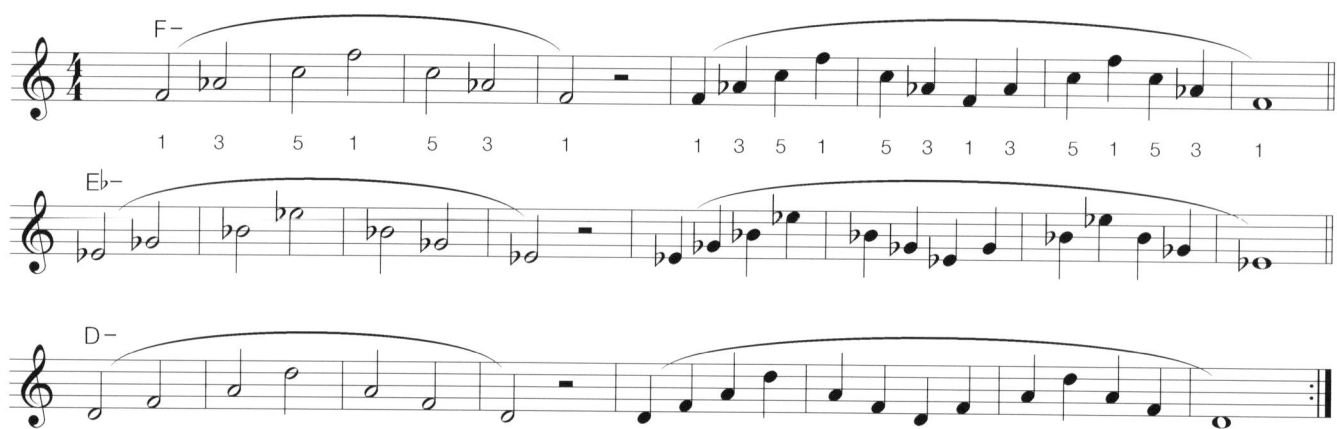

Erweitern wir nun den Dreiklang und fügen die Septime hinzu. Wir haben jetzt einen Septakkord (Beispiel 10). Lesen Sie dazu das Kapitel über Septakkorde.

Beispiel 10

Sie können diesen Akkord nochmals erweitern und die None hinzufügen. Diesen Akkord nennt man Nonenakkord. Er enthält Grundton, Terz, Quinte, Septime und die None der Skala. Die None ist derselbe Ton wie die Sekunde (zweite Stufe), liegt aber eine Oktave höher. Versuchen Sie Beispiel 11.

Beispiel 11

Bis jetzt ist es Ihnen gelungen drei Molltonleitern (dorisch) diatonisch, auf- und abwärts, in Terzen, Dreiklängen, Septakkorden und in Nonenakkorden zu spielen. Ich hoffe, Sie können die drei Skalen jetzt auswendig. Das Ziel ist, immer vertrauter zu werden mit Klang, Gefühl, Form, Wärme und Gleichförmigkeit einer jeden Skala. Stellen Sie sich die Grundtöne als Ihr »Zuhause«, dritte und fünfte Stufen als »Familie« und siebte und neunte Stufen als aufregende Töne vor, die Sie vielleicht an einem Wochenende treffen.

Übungen in Achtelnoten und Swing

Um zu »swingen«, müssen Achtelnoten wie Achteltriolen gespielt werden, bei denen die ersten zwei Noten zusammengebunden sind. Das sieht so aus ♪♪♪♪ aber geschrieben wird es nach wie vor so ♪ oder so ♪. Teilen Sie ♪ nicht in zwei, sondern in drei gleiche Teile auf, wobei die ersten zwei Noten wie gesagt zusammengebunden sind ♪♪. Diese Regel ist ein Muß, wenn dem Zuhörer ein entspanntes Gefühl vermittelt werden soll. Spielen Sie von jetzt an jede ♪ oder ♪ so ♪♪, wenn die Rhythmusgruppe mit einem Swing Feeling spielt.

Bei Bossa Nova- oder Rocknummern werden die Achtel gerade gespielt. Man nennt das *even eighth* – gerade Achtel. Hören Sie sich Track 4 und Track 11 an – sie sind im Bossa Nova Stil.

Wenn Sie sich mit dem bisher Erlernten sicher fühlen, dann versuchen Sie jetzt die ersten fünf Töne der Skala in Achteln auf- und abwärts zu spielen (Beispiel 12). Saxophonisten und Trompeter sollten die Finger nahe an den Klappen bzw. Ventilen halten und ganz gleichmäßig spielen. Das sollte mit der Zeit automatisch gehen. Jetzt sollten Sie sich einmal das Kapitel über die Artikulation auf Seite 59 ansehen.

Beispiel 12

Lernen Sie alles auswendig! Melodien, Skalen, Akkorde, Rhythmen, Patterns, Licks, Klischees und Texte. Benutzen Sie Ihren Verstand und Ihr Gefühl. Dafür ist beides da.

Spielen Sie nun die Skalen vom Grundton bis zur None in Achteln (Beispiel 13). Betrachten Sie die None als eine Sekunde, die eine Oktave höher liegt.

Beispiel 13

Die nächsten Übungen enthalten ebenfalls Akkordtöne. Blechbläser werden möglicherweise am Anfang Schwierigkeiten mit den Bindungen haben. In diesem Fall sollten Sie diese Übung zuerst langsam und ohne Aufnahme üben – erst wenn sie richtig läuft mit der Aufnahme spielen.

Ich habe ♫ notiert. Spielen Sie sie so ♫³ und verkürzen Sie nicht die dritte Note jedes Taktes! Siehe Dreiklänge in Achteln (Beispiel 14).

Beispiel 14

Geduld wirkt Wunder.

»Steter Tropfen höhlt den Stein«

Konkomba

Beispiel 15 ist eine Variation von Beispiel 14, jedoch mit Achteln anstatt der punktierten Noten. Ein *Scoop* (gezogener Ton) wird durch ein ⌣ gekennzeichnet.

Beispiel 15

Ich schlage vor, Sie denken sich auch eigene Übungen aus. Spielen Sie z.B. eine Übung mit der ersten Skala, wechseln Sie bei der zweiten Skala zu einer neuen und schließlich nochmals zu einer anderen bei der dritten Skala.

Zögern Sie nicht, den Rhythmus zu variieren. Ich bin sicher, Sie sind jetzt mit der Rhythmusgruppe schon so vertraut, daß Sie die achttaktigen Phrasen unbewußt hören können. Das gibt Ihnen die Möglichkeit freizügiger mit den Übungen umzugehen und mit mehr Selbstvertrauen an die Improvisation heranzugehen, da Sie in der Lage sind, besser zu hören, wann Sie zur nächsten Skala wechseln müssen. Sie haben wahrscheinlich schon begonnen, zwei-, vier- und achttaktige Phrasen zu hören. Dies ist sehr wichtig, weil ein Großteil der Jazzmusik (oder der westlichen Musik im allgemeinen) auf zwei-, vier- und achttaktigen Phrasen aufgebaut ist. Wenn Sie das können, sollten Sie für Ihr ganzes Leben ein inneres Gefühl für Form besitzen.

Hören Sie sich Jazzaufnahmen an und achten Sie darauf, wie in zwei-, vier- und achttaktigen Phrasen gespielt wird, Pausen miteingeschlossen!

In Beispiel 16 ist der Septakkord in Achtelnoten notiert. Spielen Sie mit einem *Swing-Feeling*, keine geraden Achtel. Hören Sie sich Platten von Duke Ellington, Count Basie oder Thad Jones/Mel Lewis an. Das *Feeling* sollte locker sein, ohne zu schleppen. Hören Sie sich auch kleinere Besetzungen an. (Siehe Plattenempfehlungen auf Seite 76)

Beispiel 16

Beispiel 17 ist eine Variation von Beispiel 16.

Beispiel 17

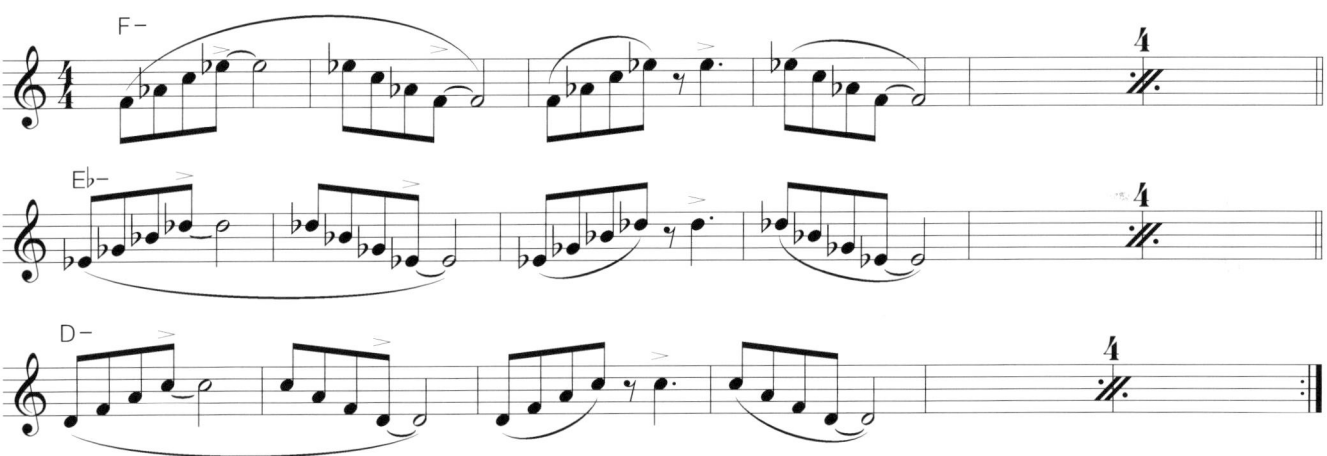

Beispiel 18 verwendet Töne des Nonenakkordes – aufwärts und abwärts.

Beispiel 18

Beispiel 19 benützt die Tonleiter bis zur None und den Nonenakkord.

Beispiel 19

Beispiel 20 verwendet aufwärts den Nonenakkord und abwärts die Skala.

Beispiel 20

Ich glaube, die wichtigsten Übungen sind Nummer 3, 7, 11, 12, 13, 19 und 20.

Zusätzliche Übungen befinden sich am Schluß des Anhangs. Finden Sie diejenigen heraus, die Ihnen liegen und transponieren Sie sie in die erforderlichen Tonarten. Jerry Cokers »Patterns for Jazz« enthält zusätzlich ausgezeichnete Übungen.

Zusätzliches Lehrmaterial

AEBERSOLD Bde. 24, 21, 54, 3 und 42 der PLAY-ALONG-SETS

AUTOBIOGRAPHY OF A YOGI von Parmahansa Yogananda

CREATIVE JAZZ IMPROVISATION von Scott Reeves

DAS JAZZ THEORIE BUCH von Mark Levine

DAS JAZZ PIANO BUCH von Mark Levine

FREE PLAY von Stephen Nachmanovitch

HOW TO LISTEN TO JAZZ von Jerry Coker

HOW TO PLAY BEBOP (3 Bände) von David Baker

HOW TO PRACTICE JAZZ von Jerry Coker

IMPROVISING JAZZ von Jerry Coker

JAZZ EAR TRAINING von Jamey Aebersold

JAZZ IMPROVISATION von David Baker

THE JAZZ LANGUAGE von Dan Haerle

THE JAZZ SOUND von Dan Haerle

MUSIC von Sufi Inayat Khan

PATTERNS FOR JAZZ (Violin- oder Baßschlüssel) von Jerry Coker

PIANO VOICINGS (transkribiert von der Aufnahme zu Bd. 1)

SCALES FOR JAZZ IMPROVISATION von Dan Haerle

Der Einstieg in die Improvisation

Wenn Sie mir durch die ersten 20 Übungen gefolgt sind, dann werden Sie bemerkt haben, daß wir mit ganzen Noten angefangen haben und zum Schluß die Skala bis zur None auf- und abwärts gespielt haben. Ich glaube, das gibt Ihnen ein bestimmtes Maß an Selbstvertrauen, welches Ihnen ermöglicht den nächsten Schritt zu tun, nämlich die eigentliche Improvisation.

Natürlich haben wir bis jetzt nur mit den drei Akkorden des ersten Plattentitels gearbeitet, aber ich meine es ist am besten, gut vorbereitet in einen Bereich der Musik zu gehen, den Sie möglicherweise vorher noch nie betreten haben.

Lassen Sie uns das erste Improvisationskonzept mit derselben Art von Übungen aufbauen, die uns schon vertraut sind.

Spielen Sie den ersten Titel des Tonträgers und improvisieren Sie dazu einen beliebigen Rhythmus, zu dem Sie nur Töne der Skala verwenden. Sie werden wahrscheinlich feststellen, daß Sie längere Notenwerte mit Achteln vermischen oder auch Pausen verwenden. Ich empfehle Ihnen, mit allem zu experimentieren, was Ihnen gerade einfällt.

Legen Sie den ersten Titel auf und fangen Sie einfach an zu spielen – improvisieren Sie! Scheuen Sie sich nicht, lassen Sie es darauf ankommen! Es gibt keine falschen Töne, nur eine schlechte Auswahl!

Wenn Sie nicht mehr wissen, wo Sie gerade in der Form sind – mit anderen Worten: Sie sind aus dem Konzept gekommen und haben nicht rechtzeitig zur nächsten Skala gewechselt – dann versuchen Sie mit einem vorbereiteten zweitaktigen Rhythmus zu improvisieren. Spielen Sie Skalentöne mit diesem vorbereiteten Rhythmus. Das folgende Beispiel zeigt einen vorbereiteten Rhythmus. Beachten Sie, daß ich auch den Tonumfang erweitert habe.

Sie werden sicher finden, daß ein vorbereiteter Rhythmus sehr schnell langweilig wird, aber er wird Ihnen helfen, die Form einzuhalten, während Sie sich innerhalb der Skalen bewegen. Ich bin sicher, Sie können auf den vorbereiteten Rhythmus verzichten, sobald Sie sich in der Form zurechtfinden. Diejenigen, die einen vorbereiteten Rhythmus verwenden, sollten versuchen, den Rhythmus mit jeder neuen Skala zu ändern. Sie brauchen also für den ersten Titel drei verschiedene Rhythmen (ein Chorus). Experimentieren Sie mit eigenen Rhythmen und erweitern Sie den Tonumfang auf alle spielbaren Töne Ihres Instrumentes (in Grenzen natürlich).

Das folgende Beispiel zeigt einige vorbereitete zweitaktige Rhythmen.

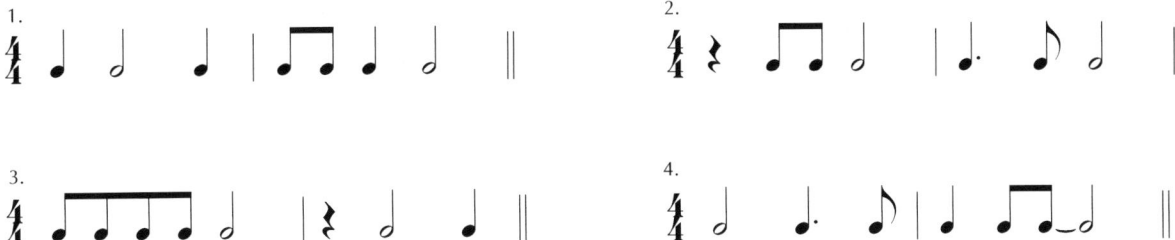

Hören Sie sich Joe Henderson und Sonny Rollins zum Thema rhythmische Vielfalt an.

Unten habe ich einige Punkte angeführt, die beim Improvisieren zu beachten sind. Sie können ein oder zwei Punkte auswählen und sich während des Spiels darauf konzentrieren. Schon bald werden Sie diese musikalischen Elemente automatisiert haben.

- Schränken Sie sich nicht selbst ein, indem Sie jede Phrase im tiefen Register beginnen und dann aufwärts gehen. Verwenden Sie auch absteigende Linien und bauen Sie Phrasen in Ihre melodische Linien ein, die auf- und absteigende Linien miteinander verbinden.

- Sie sollten sich nicht angewöhnen, Ihre Ideen auf die mittlere oder angenehmste Lage Ihres Instruments zu beschränken. Nichts ist monotoner, als einem Musiker zuzuhören, der nur in der bequemsten Lage spielt und niemals die hohe, tiefe oder unbequeme Lage verwendet. Seien Sie darauf vorbereitet, die Chance wahrzunehmen, in die weniger verwendeten Lagen Ihres Instrumentes vorzudringen. Dadurch erlebt man oft die befriedigendsten Augenblicke während eines Solos; es kann manchmal aber auch ganz schön frustrierend sein. Ein Höhenflug oder das Eintauchen in die tiefen Lagen Ihres Instrumentes, kann manchmal eine Überraschung oder eine angenehme Unterbrechung sein – zur Freude des Solisten und vor allem des Zuhörers.

- Lernen Sie die notwendigen Skalen auswendig, um eine größtmögliche Freiheit im Konzept zu erzielen. Wenn Sie die Skalen auswendig beherrschen, sind Ihre Gedanken freier, und Sie können sich auf die melodische Entwicklung konzentrieren. Ihre Phantasie funktioniert am besten, wenn Sie sich sicher fühlen.

- Variieren Sie die Dynamik! Mangel an Dynamik wirkt langweilig auf den Zuhörer und auf den Musiker. Hören Sie sich Phrasierung und Dynamik großer Jazzmusiker an.

- Stoßen Sie nicht jeden Ton an (*staccato*) und binden Sie auch nicht jede Note (*legato*). Verwenden Sie abwechslungsreiche Artikulationsarten. Hören Sie sich Soli von Musikern an, die Ihr Instrument spielen. Jeder interessante Musiker hat eine Auswahl der verschiedensten Artikulationsarten zur Verfügung. Hören Sie sich zur Abwechslung auch Musiker an, die ein anderes Instrument spielen. Viele namhafte Jazzmusiker haben sich dieser Technik zum Üben der Artikulation bedient. Siehe das Kapitel über die Artikulation auf Seite 59.

Wichtig!

- Konzentrieren Sie sich darauf, jeden Ton in Gedanken zu hören, bevor Sie ihn spielen. Das verlangt ständige Voraussicht und Geistesgegenwart, wird Ihnen aber zu besseren Soli und zur Entwicklung eines inneren Ohrs verhelfen. Das innere Ohr wird Ihre Intonation enorm festigen und es ist extrem wichtig für das Spiel großer Intervalle. Auch mit Konzentration läßt sich die Intonation verbessern. Hören Sie genau auf jeden einzelnen Ton!

- Versuchen Sie immer, den gespielten Tönen eine gewisse Richtung zu geben. Denken Sie an den Spannungs-/Entspannungsverlauf (siehe Seite 53 »Melodische Entwicklung«). Denken Sie daran, daß jeder Ton Teil eines größeren musikalischen Gedankens ist. Wenn Ihnen nichts mehr einfällt, machen Sie einfach eine Pause. Letztendlich ist Musik nichts anderes als eine Kombination von Klang und Stille.
- Hören Sie auf Ihren Klang. Mögen Sie ihn? Wenn nicht – warum? Ich glaube, jeder Musiker sollte sich den bestmöglichen Lehrer nehmen, den er finden kann. Hören Sie sich Aufnahmen an und versuchen Sie diesen Klang zu kopieren. Schauen Sie sich meine Hörvorschläge am Ende dieses Buches an! Spielen Sie immer auf dem besten Instrument, das Sie sich leisten können. Gute Instrumente klingen wirklich besser.
- Wiederholen Sie in Ihren Solos auch dann und wann eine Phrase. Wiederholungen entsprechen Verkehrsschildern. Sie helfen, die Aufmerksamkeit des Zuhörers aufrechtzuerhalten und leiten zum nächsten musikalischen Ereignis über.

Jetzt wollen Sie wahrscheinlich mit einigen der anderen Titel spielen. Ich empfehle Track 3, 4 und 5. Danach können Sie in jeden beliebigen Titel einsteigen.

Verwenden Sie ein paar von den 20 Übungen zu jedem neuen Titel, bevor Sie mit dem Improvisieren beginnen. Vielleicht sollten Sie die Skalen und Akkorde zuerst ohne Aufnahme üben. Ich schlage vor, Sie hören sich jeden Titel zuerst ein- oder zweimal an, bevor Sie mit dem Spielen beginnen. Sehen Sie sich dabei die Akkord/Skalenfolge im Anhang an. Achten Sie darauf, wo Sie sind und ob die Rhythmusgruppe in eine andere Tonart/Skala wechselt.

Es ist sehr wichtig, die Akkordtöne auf die Eins oder Drei zu spielen! Auf diese Weise klingen Ihre Melodien natürlicher und fließender. Das erfordert das Beherrschen der Akkordtöne 1, 3, 5 und 7 jeder Skala. Sie sind der Anker beim Aufbau eines Solos. Nehmen Sie sich die großen Jazzmusiker zum Vorbild und überprüfen Sie transkribierte Soli. Schauen Sie sich die Melodien von *Misty, I Can't Get Started, Tune Up* und *Four* an und Sie werden merken, daß die Eins und die Drei immer Akkordtöne enthalten. Diese Idee sollten Sie unbedingt auf Ihre Soli übertragen.

Checkliste

Hier ist eine Checkliste, die Sie sich ansehen sollten, bevor Sie anfangen zu improvisieren:

- Hören Sie sich zuerst die Aufnahme an und lesen Sie dabei im Anhang die Akkord/Skalenfolge mit.
- Erarbeiten Sie die nötigen Skalen und Akkorde mit Hilfe der ersten 20 Übungen (zuerst ohne, dann mit der Aufnahme).
- Lernen Sie die Skalen, indem Sie sich die Vorzeichen einprägen.
- Lernen Sie die Reihenfolge der Skalen. Man nennt das: Die Form des Stückes lernen.

Wenn Sie diese vier Punkte beachten, können Sie sich beim Improvisieren ganz auf Ihre Phantasie verlassen, weil Sie vorbereitet und selbstbewußt sind.

Die Erweiterung des Tonumfanges

Sie sollten so bald wie möglich die Skalen über den Tonumfang einer Oktave hinaus erweitern. Ich habe die ersten 20 Übungen auf eine Oktave beschränkt mit einer gelegentlichen None. Aber wir brauchen jetzt den gesamten Tonumfang, um mehr Abwechslung zu erzielen. Verlassen Sie sich bei der Auswahl der Töne ganz auf Ihr inneres Ohr. Haben Sie Selbstvertrauen.

Bei der Erweiterung des Tonumfanges jeder Skala ist es ratsam, zuerst ohne CD zu spielen, da Sie neue Fingersätze brauchen werden. Ich schlage vor, jede der drei Skalen über zwei Oktaven zu spielen, sofern es Ihre bisher erlangten Fähigkeiten erlauben. Falls nicht, dann arbeiten Sie innerhalb des kontrollierbaren Tonumfanges.

Für jedes Mitglied der Saxophonfamilie z.B. sieht der spielbare Tonumfang so aus:

F dorisch (erweitert)

alle spielbaren Töne (19) – die ausgefüllten Noten sind Akkordtöne

Ich bin sicher, daß jetzt schon die meisten von Ihnen improvisieren, experimentieren, einige Chancen wahrgenommen haben und auch schon ein paar Höhen und Tiefen des Improvisierens erlebt haben. Das, was normalerweise dem Anfänger passiert, passiert auch dem Profi, ganz gleich, auf welchem Niveau er steht. So kann es geschehen, daß ihm das, was er spielt, langweilig wird und es so aussieht, als ob er keine neuen Ideen finden könne. Er glaubt, daß er alles, was er spielt, schon einmal gespielt hat. Ich bin der Meinung, wir streben alle nach dem richtigen Maß an Vielseitigkeit. Wenn Sie Jerry Cokers Buch »Improvising Jazz« besitzen, dann sollten Sie zu diesem Thema das Kapitel »Einführung in die Melodik« (Seite 15 bis 16) lesen.

Lassen Sie uns nun schauen, wie wir Abwechslung in unsere Soli bringen. Sie haben ein Recht darauf, kreativ zu sein.

Steigerung der Kreativität

Ich bin sicher, viele von Ihnen singen in Gedanken Melodien und improvisieren in Gedanken, z.B. im Bett vor dem Einschlafen. Wir sollten wirklich versuchen, diese Melodien zu singen und auch auf dem Instrument zu spielen, was wir in Gedanken hören.

Der Verstand ist der Schöpfer aller musikalischer Gedanken.

Wenn Musiker im allgemeinen das auf ihrem Instrument wiedergeben könnten, was sie singen können, würden sie wahrscheinlich viel zufriedener sein. Ich sehe den kreativen musikalischen Prozeß folgendermaßen:

Durch das Singen kann man der Tonhöhe, dem Rhythmus und den Nuancen, die wir im Geiste hören, ziemlich nahe kommen; sicher besser, als mit dem Instrument. Da das Instrument, das wir gewählt haben, nur eingelernt ist, ist es am wenigsten geeignet, die musikalischen Gedanken unseres Verstandes wiederzugeben. Es versteht sich von selbst, daß jemand, der über bessere instrumentale Fähigkeiten verfügt, näher mit seinem Instrument an das herankommt, was er in Gedanken hört.

Hüten Sie sich davor, nur musikalische Ideen zu singen (in Gedanken oder auch wirklich), von denen Sie wissen, daß Sie sie auf Ihrem Instrument spielen können. Öffnen Sie Ihren Geist. Lassen Sie Ihre Gedanken umherschweifen und zu Höhenflügen aufsteigen. Lassen Sie sich nicht durch die Reglementierung des Übens beeinträchtigen. Der einzige Grund, Übungen zu spielen, ist, die technischen Schwierigkeiten Ihres Instrumentes zu überwinden und mehr Freiheit zu erlangen, damit Sie das Stadium erreichen, das wir spontane Improvisation nennen. Ich möchte es noch einmal betonen, es ist nichts Mystisches daran. Harte Arbeit und wirkliche Weiterentwicklung Ihrer musikalischen Sinne kann die Fähigkeit zu kreativer Musikalität fördern.

Gedanken ▶ **Singen** ▶ **Musik**

Vergessen Sie auf keinen Fall das Singen (in Gedanken oder wirklich). Nur musikalische Ideen, die Sie kennen, können Sie auf Ihrem Instrument spielen. Halten Sie Ihre Gedanken immer frei. Lassen Sie Ihrer Phantasie freien Lauf und vergessen Sie die Regeln des Übens. Es gibt nur einen Grund zu üben, und zwar um die Freiheit zu erlangen, auf dem Instrument das zu spielen was man sich gerade vorstellt.

Jeder gute Jazzsolist hat den großen Jazzmusikern vor ihm zugehört. Es wird im Spiel manch eines Musikers offensichtlich, daß er seine Vorbilder im Sound, in Phrasierung, Artikulation und Tonauswahl, in der Dynamik etc. kopiert. Ich empfehle Ihnen mit Nachdruck, jeden Musiker anzuhören, der im Jazz-Idiom spielt und von dem Sie Aufnahmen finden können. Diese Kunstform wurde ursprünglich durch Hören weitergegeben. Erst seit zwanzig Jahren gibt es Bücher und Tonträger, die Ihnen beim Erlernen der Kunst des Improvisierens behilflich sind. Ich glaube, daß die besten jüngeren Musiker viel Zeit damit verbracht haben, eine Vielzahl von Platten der großen Jazzmusiker zu hören. Bauen Sie sich eine eigene Plattensammlung auf oder borgen Sie sich Platten von Bibliotheken oder von Freunden. Sie müssen diese Musik hören, um sie effektiv richtig zu spielen. Sehen Sie sich die Hörvorschläge am Ende des Buches an.

Wie beginne ich eine Phrase oder Melodie ?

Lassen Sie sich doch einmal die nachfolgenden Ideen durch den Kopf gehen. Behalten Sie dabei einen klaren Kopf und lassen Sie sich von Ihrem Verstand leiten.

- Hören Sie sich selbst zu.
- In welchem Register Ihres Instruments beginnt Ihre Idee? Im tiefen, mittleren oder hohen?
- Wie wollen Sie beginnen? Langsam, mit langen Tönen und vielen Pausen? Schnell, mit vielen Tönen und viel Bewegung? Oder gemäßigt, indem Sie sich Zeit lassen und sich langsam vortasten?
- Mit welchem Akkord- oder Skalenton wollen Sie beginnen?
- Wollen Sie anschließend im selben Register bleiben oder nach oben oder unten spielen?
- Wollen Sie einen Auftakt spielen? Oder mehrere? Wenn ja, dann müssen sie gut zum ersten starken Taktteil führen. Starke Taktteile sind die Eins und die Drei.
- Wie lange können Sie dann Ihren Gedanken- und Ideenfluß aufrechterhalten, sobald Sie mit einer Phrase begonnen haben? Haben Sie darüber schon einmal nachgedacht?'
- Welchen Anfangsrhythmus wollen Sie spielen? »HÖRT« Ihr Gedächtnis die Töne/Tonhöhen bereits rhythmisch? Können Sie sie auch spielen? Denken Sie daran, daß Ihre erste Phrase den ersten Worten oder Gedanken eines Satzes entsprechen. Überlegen Sie sich also genau, wie Sie anfangen wollen.
- Akkordtöne (1, 3, 5) eignen sich gut als Beginn einer Phrase. Sie sollten daher wissen, wo sie auf Ihrem Instrument liegen.
- Entspringt Ihre Anfangsidee Ihrem Gedächtnis oder haben Sie einfach nur irgendeine Note gedrückt?
- Bläser sollten VOR Beginn einer Phrase grundsätzlich tief einatmen. Eine gute Stütze ist für die Übermittlung musikalischer Gedanken unbedingt erforderlich. Der *Klang* muß bereits in Ihrem Kopf sein.
- Vergewissern Sie sich, wo ein Chorus anfängt.

Jazzmusiker haben sich mit den Melodien der Stücke immer Freiheiten herausgenommen. Sie gestalten die eigentliche Melodie ganz persönlich und verändern die Rhythmen ganz nach Ihren eigenen Vorstellungen.

Welche grundsätzlichen Dinge sind beim Improvisieren zu beachten ?

Nutzen Sie den vollen Tonumfang Ihres Instruments aus

Betonen Sie bestimmte Akkord- oder Skalentöne

Achten Sie auf Ihren Sound – gefällt er Ihnen?

Spielen Sie enge Intervalle (chromatische Passagen)

Spielen Sie größere Intervalle (Sprünge)

Seien Sie GEDULDIG

Seien Sie auch zu Ihren Mitmusikern nachsichtig

Achtel- und Sechzehntelnoten erzeugen Spannung

Pausen, halbe und ganze Noten sorgen für Entspannung

Akkordpassagen

Arpeggien

Skalenpassagen

Staccato (à la Sonny Rollins)

Hören Sie auf die anderen

Spielen Sie nicht zuviel

Sequenzen

Dynamik – laut & leise & dazwischen Spannung – Entspannung

Akzente

Pausen (*Space*), auch Stille ist schön

Bindebögen

Vibrato

Gehaltene Töne

Wiederholungen

Shakes

Glissandi

Triller

Variieren Sie Ihre Rhythmen

Denken Sie daran, Ihr Solo AUFZUBAUEN

Benutzen Sie Ihr GEDÄCHTNIS

Abwechslung ist vorrangig. Übertreiben Sie aber nicht. Wecken Sie das Interesse des Zuhörers.

Bei Dur- und Dominantseptakkorden/skalen sind die 6, 7, 9 und ♯4 diejenigen Töne, die Spannung erzeugen. Bei Mollakkorden/skalen sind es die 4, 6, 7 und 9.

Spielen Sie nicht in jedem Solo Ihr gesamtes Wissen aus.

Was bedeutet »HÖREN« wirklich?

Hören ist mehr als nur ein akustisches Erlebnis.

- Hören gibt Ihnen Selbstvertrauen beim Spielen, Üben, Unterrichten, Komponieren und im Alltagsleben.
- Hören vermittelt Ihnen mehr Freude an der Musik. Vor allem hören Sie mit den Jahren auf einer immer tieferen Verständnisebene.
- Hören verleiht Ihnen Anerkennung als aktiver Musiker/Lehrer, weil Ihr Spiel und Ihr Unterricht das Wissen Ihres Gehörs reflektiert. Sie werden Dinge spielen und sagen, die Ihr Wissen reflektieren, was für andere bei Ihrem Musikstudium unerhört hilfreich sein kann.
- Hören gibt Ihnen Unabhängigkeit. Es räumt mit den verschiedenen »Mythen« der Jazzmusik auf und öffnet kreative Kanäle. Hören überwindet Barrieren.
- Hören erhöht das Selbstwertgefühl. Es gibt uns Sicherheit und Selbstvertrauen beim Betreten des Sprungbretts unserer »inneren Musik.« Hören vertreibt Unsicherheiten und gestattet dem Verstand, in seinem natürlichen Zustand normal zu funktionieren.
- Hören bedeutet schließlich und endlich auch Freiheit. Hören Sie auf sich selbst, auf Ihr inneres Selbst.

Arbeiten Sie an Ihrem Gehör. Es kann bereits Musik hören, aber noch nicht erkennen, was eigentlich geschieht.

Übungsplan zum Auswendiglernen der Skalen und Akkorde eines Stücks

1. Spielen Sie den ersten Ton (Grundton/Tonika) des Akkords/der Skala.
2. Spielen Sie die ersten beiden Töne jeder Skala.
3. Spielen Sie die ersten drei Töne der Skala.
4. Spielen Sie die ersten fünf Töne der Skala.
5. Spielen Sie den Dreiklang (1, 3 und 5 der Skala).
6. Spielen Sie die Septakkorde (1, 3, 5 und 7 jeder Skala).
7. Spielen Sie Nonenakkorde (1, 3, 5, 7 und 9 jeder Skala).
8. Spielen Sie die gesamte Skala auf- und abwärts.
9. Spielen Sie Sextakkorde (1, 3, 5 und 6 jeder Skala).
10. Spielen Sie die Skalen bis zur None hoch und abwärts die Akkordtöne.
11. Spielen Sie den Nonenakkord aufwärts und die Skala abwärts.
12. Spielen Sie die Skalen in Terzen auf- und abwärts (1, 3, 2, 4, 3, 5, 4, 6, 5, 7, 6, 8, 7, 9, 8 und wieder zurück).

Wenn Sie diesen Übungsplan auf einen zwölftaktigen Blues anwenden, brauchen Sie für alle zwölf Übungen zwölf Chorusse. Beim zwölften Chorus werden Sie die Akkord-/Skalenprogression bereits im Voraus HÖREN. Ihre Finger werden sich automatisch zu den richtigen Tönen bewegen, fast ohne direkten Befehl.

Nummer 10, 11 und 12 müssen abgeändert oder sehr schnell gespielt werden, damit sie in die Bluesform passen. Ich selbst übe sie immer zuerst ohne die Aufnahme, bis ich fit genug bin.

Nach und nach wird sich Ihr Spiel so verbessern, daß Sie diesen Übungsplan nicht mehr auf jedes Stück anwenden müssen. Sie werden sich verstandesmäßig an die Skalen und Akkorde gewöhnen, während Ihre Finger von Ihrem Unterbewußtsein und Ihrer Phantasie gelenkt werden. Es funktioniert wirklich, aber Sie müssen eben zuerst Ihre Hausaufgaben machen. Sie sparen sich auch viel Zeit, wenn Sie häufig gute Jazzmusik hören.

> **Lerne die Regeln, bevor du sie brichst. Und lerne sie gut, sonst werden die anderen denken, du beherrschst sie nicht, falls du sie einmal brichst.**

Suchen Sie sich beliebige Stellen auf der CD heraus und probieren Sie, ob Sie bei einem der Titel nach Gehör mitspielen können. Überraschen Sie sich selbst!

Beim Aufbau von Melodien sind Zählzeit (*Beat*) 1 und 3 am wichtigsten

Die Zählzeiten 1 und 3 scheinen im 4/4-Takt geradezu nach Grundtönen, 3., 5., 7. und 9. Stufen zu verlangen (auch kleinen Nonen bei Dominantseptakkorden, die sich eine Quarte nach oben auflösen). So kann der Zuhörer die beabsichtigte Harmonie besser hören und vorausahnen, wohin Ihre melodische Linie führt.

Das erspart einem auch eine Menge Raterei beim Hören von Jazzmusik. Es ist auch das naheliegendste, weil wir Melodien eben auf diese Weise denken und singen. Manchmal bezeichnet man diese Töne als Zielnoten oder Zieltöne. Da die 3. und 7. Stufe der Akkorde/Skalen die wichtigsten Töne der Tonleiter sind, ist es wichtig, sie auf die Zählzeiten 1 oder 3 zu plazieren.

Sie sollten die Lage der Akkordtöne auf Ihrem Instrument genauso kennen wie die Lage von Küche, Bad, Vordertür und Telefon in Ihrer Wohnung.

Ein gutes Beispiel für die Plazierung von Akkordtönen ist Charlie Parkers Solo über »Now's The Time«. Sie finden es im »Omnibook«.

Überprüfen Sie auch die transkribierten Soli anderer Musiker nach dieser wichtigen Regel der Jazzmusik. Nehmen Sie einen Stift und markieren Sie die Akkordtöne, die sich auf den Zählzeiten 1 und 3 befinden (oder auf allen vier Zählzeiten!). Sie werden überrascht sein. Dasselbe gilt für klassische Musik (Bach ist ein gutes Beispiel).

Sehen Sie sich auch einmal genau die Melodien solcher Standards wie *Misty, I Can't Get Started, Blue Bossa, Body & Soul, Tune Up, Summertime,* etc an. Diese Stücke wären keine Standards, würden sie nicht den oben beschriebenen, musikalischen Prinzipien gehorchen.

Versuchen Sie Folgendes: nehmen Sie sich selbst auf Tonband auf, während Sie einen Chorus mit der Mitspielplatte singen. Transkribieren Sie anschließend ein paar Takte oder den gesamten Chorus. Haben Sie Geduld. Wenn Sie locker und über die rechte Gehirnhälfte gesungen haben, werden Sie zu Ihrem Erstaunen feststellen, wie oft Sie unbewußt Akkordtöne auf die Zählzeiten 1 und 3 plaziert haben.

Wer erst seit kurzem improvisiert, klingt einfach oft nur deshalb wie ein Anfänger, weil er diese Ideen nicht verwendet.

Das nächste Kapitel ist kurz, aber sehr wichtig.

Empfohlene Bücher mit Solotranskriptionen

Mittlerweile sind Dutzende von Büchern mit transkribierten Soli erhältlich. Die nachfolgende Liste enthält außergewöhnliche Soli, die meiner Meinung nach entscheidend zur Entwicklung des Jazz beigetragen haben.

BASS TRADITION, THE
36 Soli berühmter Bassisten.

CHARLIE PARKER »OMNIBOOK«
Erhältlich für C-, E♭-, B♭- und Baßschlüssel Instrumente.

CHICK COREA – NOW HE SINGS NOW HE SOBS
Eine der großartigsten Trioaufnahmen in der Geschichte des Jazz.

HANK MOBLEY SOLOS
Hervorragende Bebop-Soli.

HERBIE HANCOCK – CLASSIC JAZZ COMPOSITIONS AND PIANO SOLOS
Einige von Herbies besten Aufnahmen.

J. J. JOHNSON TROMBONE SOLOS
15 von J.J.'s Lieblingsstücken.

MODERN JAZZ TENOR SAX SOLOS
Enthält viele berühmte Soli.

28 MODERN JAZZ TRUMPET SOLOS
2 Bände. Eine Sammlung großartiger Soli.

Literaturempfehlung

ANYONE CAN IMPROVISE – Jamey Aebersold (DVD)

THE ART OF COMPING – Jim McNeely (Buch und CD)

A COMPLETE METHOD FOR IMPROVISATION – Jerry Coker

THE EVOLVING BASSIST – Rufus Reid

GUITAR IMPROVISATION – Barry Galbraith (Buch und CD)

GUITAR COMPING – Barry Galbraith (Buch und CD)

JAZZ EXPRESSION AND EXPLORATION – David Baker
(Ausgaben im Violin- und Baßschlüssel)

JAZZ PIANO VOICINGS SKILLS – Dan Haerle

Die Bebop-Skala

Die Bebop-Skala enthält einen zusätzlichen Ton zu den vier gebräuchlichsten Skalen (der zusätzliche Ton ist unterstrichen).

C7 = C D E F G A B♭ <u>B</u> C

Diese Skala wird oft absteigend gespielt und sieht dann so aus:

C7 = C <u>B</u> B♭ A G F E D C

Spielen Sie das B <u>niemals auf</u> eine der Zählzeiten. Die zusätzliche Note muß immer auf »und« kommen, um wirklich jazzmäßig zu klingen. Diese Skala heißt im Englischen auch *Seventh Scale*.

Zum Beginnen einer Phrase eignen sich am Besten die Akkordtöne: 1, 3, 5 und ♭7. Wenn Sie eine Phrase auf einer der Zählzeiten mit der 2., 4. oder 6. Stufe beginnen, müssen Sie irgendwo in der Phrase eine zusätzliche chromatische Note einfügen, damit das B auf die »und« kommt. Ihre Phrasen klingen natürlicher, wenn die Terzen und Septimen auf die 1 und 3 kommen.

Es gibt auch Bebop-Skalen, die man über Dur-, Moll- und halbverminderte Akkorde spielen kann.

DUR = C D E F G <u>G♯</u> A B C

MOLL = C D E♭ <u>E</u> F G A B♭ C

HALBVERMINDERT = C D♭ E♭ F G♭ <u>G</u> A♭ B♭ C

Diese einfache Chromatik (die wir als Bebop-Skala bezeichnen) gibt Ihren Phrasen eine Form und Kontur, die denen der besten Jazzmusiker ähnelt. Da diese Skala 8 Töne enthält, fallen die Akkordtöne ganz natürlich AUF die Zählzeiten. Die meisten Menschen stellen eine sofortige Verbesserung Ihrer Phrasen fest, sobald sie anfangen, die Bebop-Skala zu benutzen. Vor allem jene, die viel Jazz hören. Sie erkennen schnell die Ähnlichkeit zu guten Soli.

Die Bebop-Skala kann auch über den Mollakkord der 2. Stufe gespielt werden. Beispiel: die C7 Bebop-Skala (C D E F G A B♭ B C) paßt auch über G Moll und umgekehrt. Die Akkorde für die Skala sind austauschbar. Während G Moll nach C7 klingt, spielt der eine oder andere Solist oft nur die Bebop-Skala: C D E F G A B♭ B C oder, als G Moll Bebop-Skala gedacht: G A B♭ B C D E F G. Sie sind also identisch.

Lernen Sie diesen *Klang* in verschiedenen Tonarten. Sie singen ihn, ohne zu wissen, was Sie singen!

Sehen Sie in Büchern mit transkribierten Soli nach und suchen Sie nach Beispielen für die Bebop-Skala. Sie werden überrascht sein, wie oft dieser Skalen-*Klang* im Jazz zu hören ist. Viele Beispiele finden sich auch in den Büchern von David Baker mit dem Titel »How To Play Bebop« 1, 2 & 3.

Machen Sie sich mit den Skalen, vor allem der Bebop-Skala, vertraut. Sie ist das A und O der Jazzsprache.

Anm. d. Herausgebers: Die in diesem Buch verwendete anglo-amerikanische Schreibweise für den Ton ›B‹ steht für das deutsche ›H‹.

Hörtraining

In der Musik sind Ihre Ohren Ihre besten Freunde. Der Klang erreicht Ihre Ohren und Ihr Verstand verarbeitet die Musik. Jeder kann ein gut ausgebildetes Gehör besitzen, vorausgesetzt, man nimmt sich die Zeit, es zu entwickeln.

Logische, fließende Melodien kann man sich sicher leichter in Gedanken vorstellen oder singen. Auf dem Instrument ist es nicht immer so leicht.

Wenn Sie sich angewöhnen, das zu spielen, was Sie im Geist hören, werden Sie Ihre Beweglichkeit schnell steigern und Ihr Gehör verbessern. Ein scharfes Gehör, zusammen mit einer gleich hoch entwickelten Technik, verschafft dem Musiker normalerweise Vorzüge, die er anders nicht erreicht hätte.

Ich schlage vor, Sie nehmen sich selber beim Singen auf und versuchen dann, das Gesungene nachzuspielen. Singen Sie zuerst einfache kurze Phrasen. Verwenden Sie längere und komplexere Phrasen, sobald Ihnen das Abhören Ihrer Phrasen leichter fällt. Ich nenne das, das »Wahre Ich« transkribieren! Vielleicht wollen Sie, statt das Gesungene nachzuspielen, zuerst nachsingen, um sicherzugehen, alles richtig gehört zu haben.

Es kann viel Spaß machen, mit einem Freund Hörtraining zu üben. Eine Person spielt einen Ton und der Partner muß versuchen ihn sofort nachzuspielen. Machen Sie mit zwei Tönen weiter, dann drei, vier etc. Spielen Sie zuerst kleinere Intervalle und mit wachsendem Fortschritt größere.

Ich empfehle, auch mit normalen Jazzaufnahmen mitzuspielen. Sie müssen nicht unbedingt die Tonart und die Skalen oder Sonstiges kennen. Versuchen Sie lediglich, Töne so zu spielen, wie Sie sie gerade hören. Ich versuche normalerweise ein paar Töne zu behalten, und sie dann, während die Aufnahme weiterläuft, auf meinem Instrument wiederzugeben.

Nachdem ich die richtigen Töne gefunden habe – manchmal vergesse ich sie auch, suche ich mir weitere Töne aus und versuche sie nachzuspielen. Das ist ausgezeichnetes Hörtraining. Die meisten Jazzmusiker der letzten Jahrzehnte haben auf diese Art zu spielen gelernt.

Ich empfehle Ihnen mit Nachdruck, auch mit diesen Aufnahmen ohne Noten zu spielen. Es hilft Ihr Gehör weiterzuentwickeln. Ich schlage nicht vor, so anzufangen, aber wenn Sie das Prinzip der Wechselbeziehung von Skalen und Akkorden verstanden haben und wissen, wieviele Takte jede Skala erklingt, dann glaube ich, kann das Spielen ohne Notenvorlage äußerst nützlich sein!

Empfehlenswerte Bücher über Gehörbildung sind: David Bakers Ear Training Tapes (5 Bde. mit Kassetten), Jamey Aebersolds »Jazz Ear Training Course« (Heft mit 2 CDs) und »Training The Ear« von Armen Donelian (Buch mit 2 CDs).

Es tut nicht weh, den Verstand zu benutzen.

Viele Musiker benutzen die Kassettenrecorder Marantz PMD201 oder PMD221 wegen ihrer eingebauten Pitch Control (Höhenregler), die eine Wiedergabe in acht Tonarten gestattet. Beide besitzen ein eingebautes Mikrofon und Monoaufnahme und -wiedergabe und sind wirklich empfehlenswert, wenn Sie gerne üben und sich verbessern wollen. Mit diesen Geräten können Sie unsere Play-Along-Kassetten in acht verschiedenen Tonarten abspielen. Sie können z.B. den Blues in B♭ spielen und ihn anschließend als Blues in B, C, D♭, A, A♭, G oder G♭ laufen lassen. Das Tempo wird nach oben schneller und nach unten langsamer. Die Modellbezeichnungen ändern sich oft. Erkundigen Sie sich bei Ihrem Fachhändler.

Manche CD-Player haben eine Funktion namens A B Repeat. Damit können Sie einen ganzen Titel oder Teile davon immer wieder abspielen. Sie könnten ihn z.B. so programmieren, daß er die *Bridge* eines Stücks ständig wiederholt, während Sie mit den entsprechenden Skalen, Patterns, Akkorden etc. arbeiten.

Denon stellt einen CD-Player mit eingebauter Pitch Control her. Sie geht einen Halbton nach oben und unten. Da sich die Technologie ständig weiterentwickelt, sollten Sie immer versuchen, auf dem Laufenden zu bleiben.

Pentatonische Skalen und ihre Anwendung

Die pentatonische Skala wird schon sehr lange in der Musik verwendet. Pentatonik bedeutet generell, daß die Tonleiter aus fünf Tönen besteht. Im Jazz sind zwei dieser Skalen bekannt geworden: die Durpentatonik und die Mollpentatonik. Wenn wir sie in den Tonarten C und F aufbauen sehen sie so aus:

Die pentatonische Skala bekommt möglicherweise in einer Bluesakkordfolge mehr Bedeutung, als in jeder anderen harmonischen Sequenz im Jazz. Besonders junge Musiker verwenden sie gerne. Es gibt Bücher auf dem Markt, in denen der Autor die pentatonische Skala für die Improvisation über den Blues empfiehlt. Der Klang der pentatonischen Skala sollte aber nur als kleiner Teil des gesamten, musikalischen Spektrums betrachtet werden.

Für mich vertritt die pentatonische Skala einen Klang, der Abwechslung in das musikalische Gesamtbild bringen kann. Ich streue sie eher zwischen andere Skalenklänge ein und spiele sie nicht in Grund und Boden. Die Bluestonleiter und die Mollpentatonik sind sich sehr ähnlich. Die Bluestonleiter hat sechs und die pentatonische Skala fünf Töne. Wenn wir beide Skalen in der Tonart F aufschreiben, sehen sie wie folgt aus:

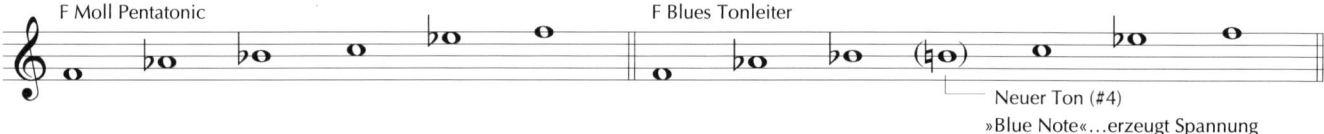

Die pentatonische Skala kann über Dur-, Moll-, Dominantsept-, halbverminderten, verminderten, Ganztonskalen und beinahe allen anderen Skalen verwendet werden. Es gibt in der Regel einige pentatonische Skalen innerhalb jeder regulären Skala. Im folgenden habe ich die möglichen pentatonischen Skalen innerhalb der C Durskala und der F Mollskala aufgelistet.

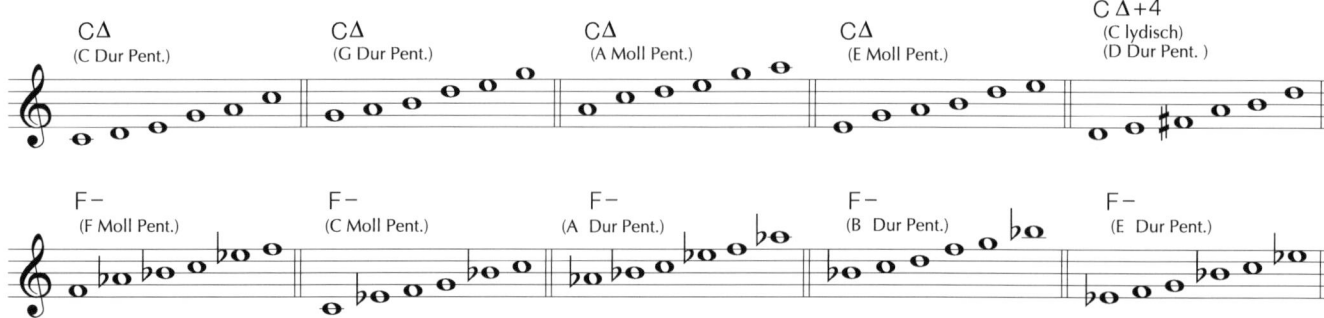

Scheuen Sie sich nicht, die Melodie eines Stückes persönlich zu gestalten. Spielen Sie die Melodie so wie Sie sie singen würden. Sie soll atmen, fließen, singen. Eine Geschichte erzählen. Kurz, es soll IHRE Melodie sein.

Normalerweise vermeiden wir die Quarte der Durskala in der pentatonischen Skala. Die Töne der dorischen Skala sind alle brauchbar.

Bluesthemen sind oft nur auf einer einzigen pentatonischen Skala aufgebaut, in der Regel eine pentatonische Mollskala, die über einen Dominantseptakkord oder eine Dominantseptskala gelegt wird (siehe folgendes Beispiel).

Versuchen Sie über den Blues in B♭ (Track 7) zu improvisieren und verwenden Sie dabei nur die pentatonische Mollskala. Die Töne sind B♭, D♭, E♭, F, A♭, B♭ (nicht transponiert).

Sie können auch zwischen der pentatonischen Mollskala in B♭ und der Bluesskala in B♭ hin und her wechseln. Versuchen Sie als nächstes, mit der pentatonischen Mollskala in F und der Bluesskala in F über den Blues in F zu improvisieren (Track 8). Die pentatonische Mollskala in F besteht aus den Tönen F, A♭, B♭, C, E♭, F.

Natürlich kann die pentatonische Mollskala auch über eine Molltonleiter gespielt werden. Sie brauchen nur die pentatonische Mollskala spielen, die denselben Grundton wie die Mollskala hat. Die erste Wahl für die ersten acht Takte in F Moll würde demnach auf die pentatonische Mollskala in F fallen. Erinnern Sie sich? – es gibt mehrere pentatonische Skalen innerhalb jeder Moll-, Dur- und Dominantseptskala. Experimentieren Sie mit den verschiedenen pentatonischen Skalen und prägen Sie sich ihren Klang gut ein. Sie können sie auch aufschreiben, um zu sehen, in welcher Beziehung sie zueinander stehen.

Zum Weiterstudium der Pentatonik empfiehlt sich »Pentatonic Scales For Jazz Improvisation« von Ramon Ricker und Jerry Bergonzis »Pentatonics«.

Spielen Sie mit Track 2, 3, 4 und 5 und wenden Sie dabei die pentatonischen Skalen möglichst melodisch an. Bauen Sie gelegentlich auch Phrasen mit der entsprechenden Bluesskala ein; für acht Takte F Moll können Sie die F Bluesskala, die pentatonische Mollskala in F oder die F Mollskala (dorisch) verwenden.

Wie Sie sehen, haben wir jetzt schon einige Skalen, die wir in unser Solo einbauen können: Moll (dorisch) Blues und Pentatonik. Diese Skalen können Sie alle über die ersten Titel spielen. Sie sollten Ihnen mehr Möglichkeiten eröffnen, die Klänge zu spielen, die Sie in Gedanken hören. Viele dieser Skalenklänge haben Sie wahrscheinlich schon im Kopf, ohne sie benennen zu können. Üben Sie weiter, und bald werden Sie es können.

Vergessen Sie nicht, Platten der Jazzgrößen zu hören und dabei Phrasen herauszuhören, die auf den erlernten Skalen aufgebaut sind. Dan Haerles Buch »Scales for Jazz Improvisation« enthält 19 verschiedene Skalen, die im Violin- und im Baßschlüssel notiert sind. Es ist ein nützliches Buch.

Im folgenden Beispiel zeige ich drei pentatonische Skalen, die innerhalb der C Durskala zu finden sind. Ihre Umkehrungen befinden sich rechts neben der Grundskala. Jede Umkehrung repräsentiert eine pentatonische Skala. Experimentieren Sie beim Improvisieren über vier oder acht Takte mit diesen Umkehrungen. Sie haben ganz sicher einen anderen Klang und verlangen Ihre Aufmerksamkeit. Die Skala der dritten Reihe enthält eine erhöhte 4. Stufe (#4 = F#). Diese Skala steht in enger Verwandschaft zur Durtonleiter und heißt lydisch; C D E F# G A B C. Sie besitzt einen besonderen Klang und wird häufig gespielt.

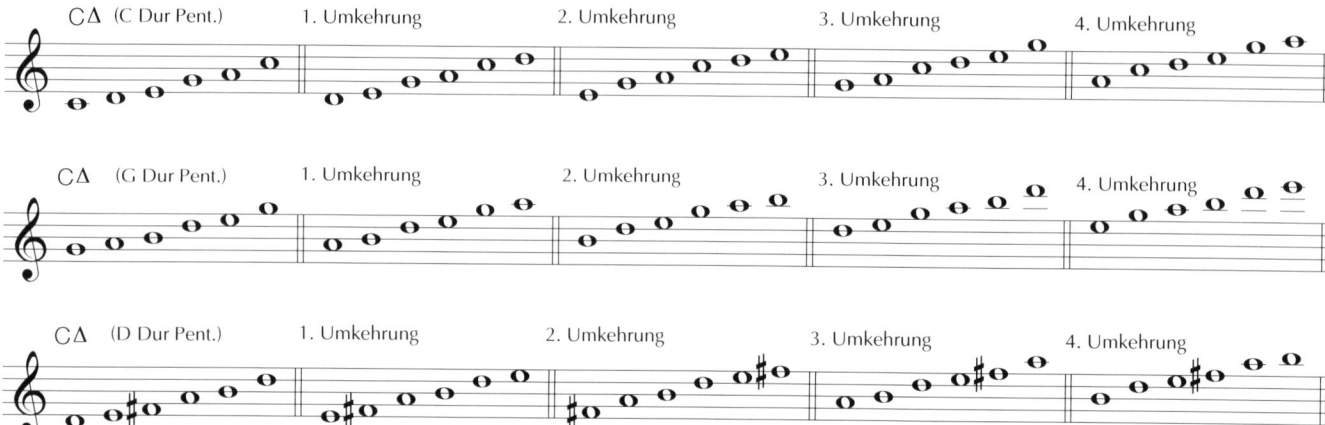

☞ **HINWEIS:** Lernen Sie die schwarzen & weißen Tasten auf dem Klavier. Sie sollten sie ständig »parat« haben, um sich die Intervalle, Skalen, Licks etc. besser merken zu können. Sie sind eine echte visuelle Hilfe; sie können auf dem Keyboard alles sehen.

»Niemand kann dich in deiner Phantasie verletzen.«

Amnesty International

CHROMATIK

Chromatik verwendet Halbtonschritte. Beim Anhören von Jazzsoli oder bei der Analyse von transkribierten Soli werden Sie ohne Zweifel auf Töne stoßen, die nicht in der erklingenden Skala oder dem Akkord vorkommen. Das ist nicht ungewöhnlich. Ich habe früher oft darüber gestaunt, wie ein Musiker so weit von der zugrundeliegenden Skala oder dem Akkord entfernt sein kann und trotzdem so gut klingt. Mit den folgenden Beispielen will ich versuchen, Ihnen zu zeigen, wie Sie Töne außerhalb der zugrundeliegenden Skala in Ihre Melodien einbeziehen können. Die richtige Verwendung der Chromatik kann Ihr Solo augenblicklich reifer klingen lassen.

Denken Sie daran, daß jeder Ton über jeden Akkord gespielt werden kann, solange er richtig in den Akkord oder davon weg geführt wird – Spannung und Entspannung (siehe Seite 56).

Hier ist ein Beispiel, wie man die gesamte chromatische Tonleiter in einer typischen Jazzphrase einsetzen kann.

Eine gute Übung für den Anfang ist das Anspielen eines Akkordtones (Grundton, Terz, Quinte, Septime) von einem Halbton darunter.

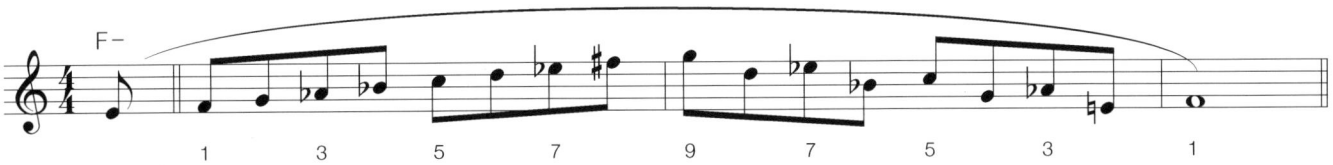

Wenn man den Skalenton über jedem Akkordton und den Halbton darunter verwendet, erhalten wir folgenden Klang:

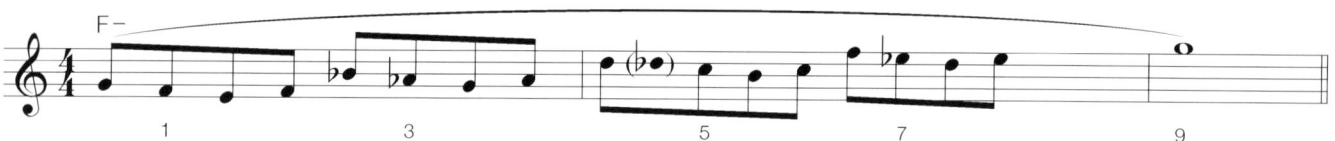

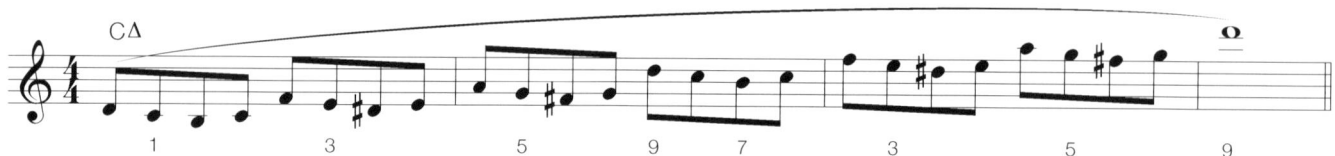

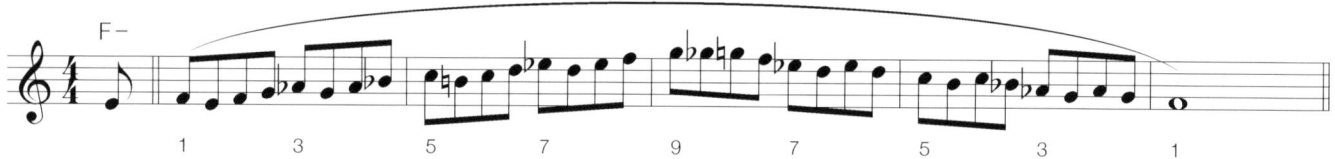

Beginnen wir einen Ganzton über dem Akkordton und gehen dann in Halbtonschritten abwärts, klingt das Ergebnis so:

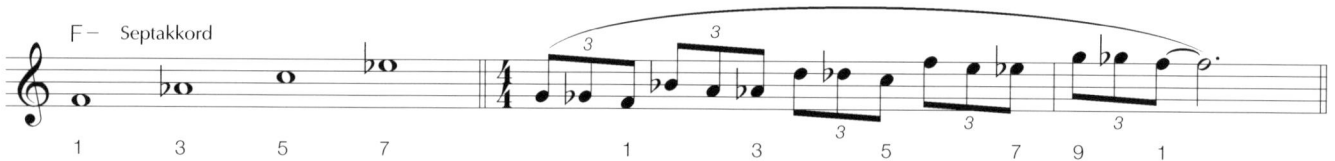

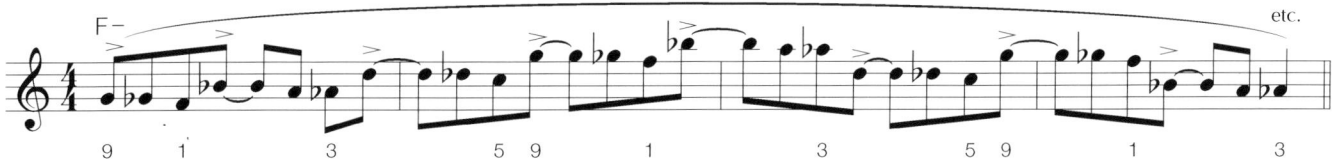

Hier nun ein Beispiel mit dem darunterliegenden Halbton und absteigenden Halbtonschritten von oben:

Chromatische Nachbartöne mit den Skalentönen als Grundtöne klingt so:

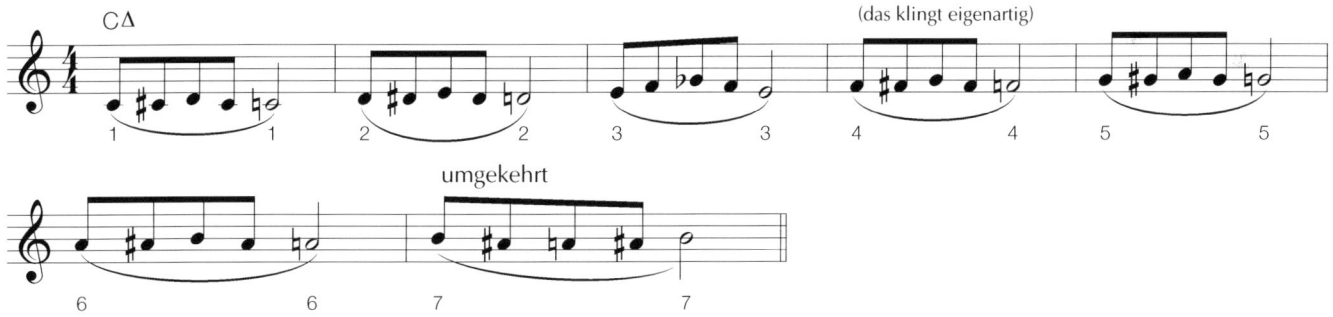

Die chromatische Tonleiter ist das musikalische Alphabet

Beispiel:

Die folgenden Beispiele zeigen weitere Möglichkeiten, wie Sie Chromatik in Ihr Spiel einbeziehen können. Chromatik kann über jeden Skalen- oder Akkordtyp angewendet werden, nicht nur über Dur oder Moll.

Sie sollten diese chromatischen Beispiele mit einer Aufnahme üben. Die chromatische Tonleiter ist das musikalische Alphabet. Die Jazzgrößen denken nicht nur in Skalen oder Akkorden, sie verbinden beides mit Chromatik. Einige Musiker verwenden mehr Chromatik als andere (John Coltrane, David Liebman, Mike Brecker, Steve Grossman); meiner Meinung nach haben diese Musiker dazu beigetragen, nach und nach die melodische Richtung des Jazz zu verändern. Weiterführende Lektüre zu diesem Thema: Dave Liebmans Buch »Chromaticism«.

Das Üben von Patterns oder Licks, mit oder ohne Chromatik, in allen Tonarten und verschiedenen Tempi, sollte Teil Ihrer täglichen Überoutine werden. Ich glaube, das Mitspiel-Set »Gettin' It Together« wird sehr nützlich für Sie sein, da es in langsamen und moderaten Tempi durch alle zwölf Tonarten geht (Vol. 21 in dieser Serie). Ein absolutes Muß, wenn man wirklich üben will.

Der Blues

Der Blues ist eine Musikform, die Jazzmusiker schon seit jeher bevorzugt haben, weil er ihnen die Gelegenheit gibt, Gefühle, Alltagsempfindungen und intellektuelle Konzepte auszudrücken. Sie werden oftmals gelernt, indem man sich intensiv mit Stil und Konzeption eines anderen Musikers auseinandersetzt. Die meisten Improvisationsanfänger verwenden den Blues als Ausgangsbasis für andere Formen des Jazz. Viele Leiter von Schulbands oder Privatlehrer meinen, daß nicht viel dazugehört ein ziemlich gutes Bluessolo zu spielen. Sie glauben, man muß nur die entsprechende Bluesskala lernen und einfach mit ihrem Klang drauflos improvisieren. Das glauben sie zu hören, wenn sie Aufnahmen eines Jazzmusikers anhören. Ich gebe zu, Sie hören einiges davon, aber wenn Sie die wichtigen Jazzeinflüsse herausfinden, werden Sie viel mehr hören, als nur die Bluesskala. Jazzblues ist ein riesiger Bereich, der immer noch größer wird.

Ich möchte gerne ein paar Dinge aufzeigen, auf die Sie beim Blues achten sollten. Dinge, die Ihr Spiel lohnender, überzeugender und musikalischer machen. Wir sollten damit anfangen, daß Sie einige Blueschorusse mit der Aufnahme singen (B♭-Blues oder F-Blues). Ich schlage vor, Sie nehmen das auf Band auf und versuchen dann, mit Ihrem Instrument, die gesungenen Phrasen nachzuspielen! Ich behaupte, daß das was Sie singen, näher an Ihr »Wahres Ich« herankommt, als das, was aus Ihrem Instrument herauskommt. Vielleicht müssen Sie zuerst einmal ein oder zwei Töne kopieren, bevor Sie sich zu einer ganzen, musikalischen Phrase vorarbeiten. Das ist ganz normal. Falsche Töne zu singen ist schwer! Auf dem Instrument sind wir durch mangelnde Fertigkeit gehemmt. Ist das so – und ich glaube ganz ehrlich daran, daß es so ist – dann hat der Musiker, der sein Instrument am besten beherrscht, eine viel bessere Chance, die Musik in seinem Gedächtnis an den Zuhörer zu vermitteln. Wenn Sie versuchen, das Gesungene nachzuspielen, dann sollten Sie sich vergewissern, daß Sie mit denselben Nuancen, Artikulationen, Dynamiken etc. spielen. Diejenigen, die schon viel Jazz gehört haben, werden wahrscheinlich ein ziemlich gut nachvollziehbares Solo singen, sogar dann, wenn Ihre Stimme öfters abreißt oder umschlägt. Üben Sie Singen, während Sie zur Schule oder in das Büro fahren oder spazieren gehen. Singen Sie in Gedanken, während Sie im Bett liegen oder auf einen Bus warten. Gebrauchen Sie Ihren Verstand und Sie werden bald in der Lage sein, Phrasen anderer zu erkennen. Das wird Ihnen auch ermöglichen, diese Phrasen auf Ihrem Instrument wiederzugeben. Ich habe von vielen guten Jazzmusikern gehört, daß sie viel ohne ihr Instrument geübt haben. Sie üben in Gedanken, und wenn sie dann das Instrument zur Hand nehmen, ist es so, als ob sie diese musikalischen Ideen schon geübt hätten. Ihr Unterbewußtsein DACHTE, sie hätten wirklich geübt. Zum Abschluß dieses Teils über das Singen von Soli möchte ich noch sagen, daß viele Musiker eine besonders melodiöse Phrase als »Singend« empfinden, obwohl sie auf einem Instrument gespielt wurde. Z.B. sagt man »Coltrane hat wirklich gesungen auf seinem Instrument«. Das ist das größte Kompliment, das man machen kann.

Dem Blues können viele verschiedene Akkordfolgen zugrunde liegen. Rock, Gospel, Soul, Country und andere Musikformen, bevorzugen einfachere Formen des Blues, als z.B. Wayne Shorter, obwohl sie dazu durchaus in der Lage wären. Normalerweise wird ein Song jazziger, wenn man die Akkorde (Harmonien) aufbessert. Wenn Sie die Akkorde zu einem Gospel Song verändern, wird er für Gospel Fans nicht mehr authentisch klingen und sie werden wahrscheinlich nicht glücklich mit diesen Veränderungen sein. Da Jazz eine sich ständig verändernde Kunstform ist, sind die verschiedenen Modifikationen und Alterationen sehr willkommen und ein Teil der Energie geworden, die ihn am Leben erhalten.

Um ein Gefühl für die Bluesakkorde zu bekommen, sollten Sie zunächst einmal nur mit zwei oder drei Tönen beginnen. Z.B. mit Grundton und kleiner Terz. Spielen Sie unterschiedliche Rhythmen und versuchen Sie einfach nur, diese beiden Töne *swingen* zu lassen. Nehmen Sie dann nach und nach den einen oder anderen Ton hinzu, z.B. die 2. oder die 6. Stufe. Denken Sie einfach nur daran, mit der Aufnahme zu *swingen* oder zu *grooven*. Konzentrieren Sie sich auf Artikulation und Einfachheit. Allmählich werden Sie dann die gesamte Bluestonleiter spielen. Dieses *swingende Feeling* sollten Sie übrigens auch bei den anderen Titeln in dieser Stilrichtung verwenden.

Man erwartet von dieser Musikrichtung, daß sie sich verändert.

VERÄNDERUNG = CHANCE

Der ursprüngliche 12taktige Blues besteht aus drei Akkorden: ein Dominantseptakkord auf dem Grundton, ein Dominantseptakkord auf der Quarte und ein Dominantseptakkord auf der Quinte der jeweiligen Tonart. Beispiel: Ein Blues in F enthält diese drei Akkorde – F7, B♭7 und C7. Die Reihenfolge ihres Auftretens in einer 12taktigen Form kann so aussehen:

/ F7 / F7 / F7 / F7 / B♭7 / B♭7 / F7 / F7 / C7 / B♭7 / F7 / C7 /

Akkordfolgen, die zu einem Blues verwendet werden können, gibt es *ad infinitum*. Hier einige der populäreren Akkordfolgen in der Tonart F. Anmerkung: Erscheinen zwei Akkordsymbole in einem Takt, erhält jeder Akkord zwei Schläge (Zählzeiten).

Beispiel (A) ist auf der Mitspiel CD, ein Blues in F.

a) / F7 / B♭7 / F7 / F7 / B♭7 / B♭7 / F7 / F7 / G– / C7 / F7 / C7 /

b) / F7 / B♭7 / F7 / C– F7 / B♭7 / B°7 / F7 / A– D7 / G– / C7 / A– D7 / G– C7 /

c) / F7 / B♭7 / F7 / C– F7 / B♭7 / B°7 / F7 / A– D7 / G– C7 / D♭– G♭7 / F7 D7 / G7 C7 /

Charlie Parker verwendete bei seinem Stück »Blues for Alice« eine Akkordfolge, die eine absteigende Tonikabewegung mit einem aufsteigenden Quartenzirkel kombiniert. Sie wird manchmal »Bird Blues« genannt.

/ F / Eø A7 / D– G7 / C– F7 / B♭7 / B♭– / A– / A♭– / G– / C7 / A– D7 / G– C7 /

☞ Siehe Vol. 2 dieser Serie: »Nothin' But Blues«

Dies sind einige der verschiedenen Akkordprogressionen, die man verwenden kann. Falls Sie mehr brauchen, sollten Sie sich Vol. 42 »Blues in All Keys« oder Dan Haerles Buch »Jazz-Rock Voicings« ansehen. Er führt 17 verschiedene Akkordfolgen, angefangen von sehr einfachen bis hin zu komplizierten, an.

Für den Anfang finde ich es wichtig, das Gefühl für die Grundtöne zu bekommen. Danach kommen die ersten fünf Töne jeder Tonleiter, dann der Dreiklang (Grundton, Terz und Quinte) und schließlich die ganze Skala. Das folgende Beispiel zeigt, wie es klingen soll:

Beispiel 1

Wenn Ihnen das zu schnell geht, gehen Sie nach dem Übungsplan von Seite 31 vor und wenden ihn auf den F-Blues oder B♭-Blues an. Der Blues in B♭ ist etwas langsamer.

Bei zwei Akkorden in einem Takt müssen Sie den Rhythmus des Patterns oder die Anzahl der Töne verändern. Ganz egal an welchem Stück Sie arbeiten, verwenden Sie die obige Methode, um mit der harmonischen Bewegung vertraut zu werden. Zwei Spitzentrompeter haben mir gesagt, sie benützen diese Methode, wenn sie über ein neues Stück ein Solo spielen sollen. Es ist sinnvoll, da sich dadurch Ihr Gehör an die verschiedenen Skalen und Akkordklänge gewöhnt, bevor Sie ein Solo spielen. Ich rate Ihnen, diese Methode bei jedem neuen Stück anzuwenden.

Die wichtigsten harmonischen Stellen in der Blues Progression, die von jungen Musikern oft vernachlässigt werden, habe ich im folgenden Beispiel markiert:

Beispiel 2

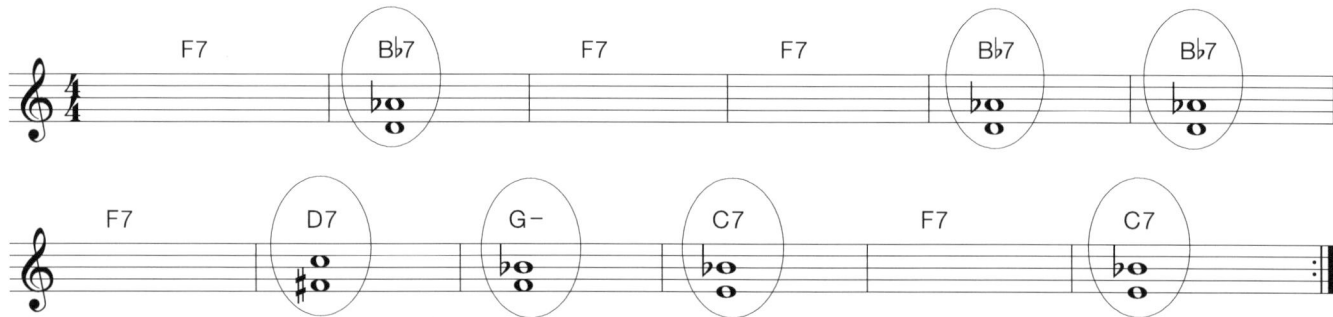

Es ist empfehlenswert mit der Terz und der Septime jedes Akkordes zu improvisieren, um den Klang und das Gefühl der Harmonie zu verinnerlichen. Nur die Terz und die Septime zu verwenden, klingt so (beachten Sie die melodische Bewegung im Halbtonschritt vom ersten zum zweiten Takt):

Beispiel 3

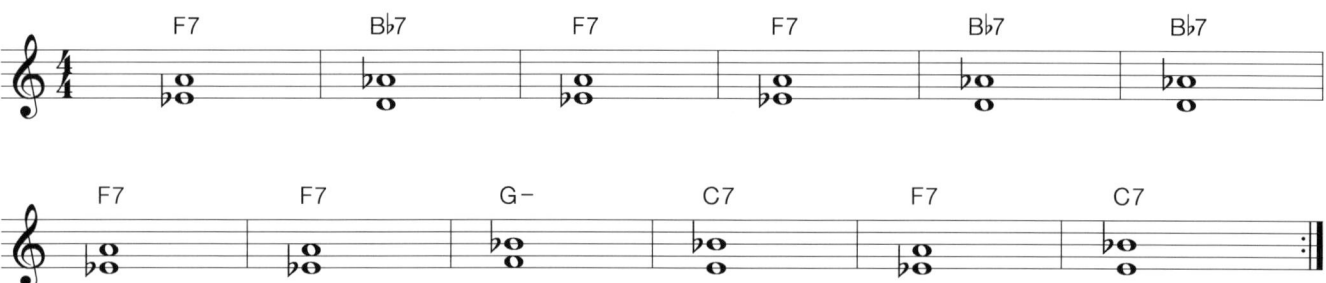

Ich lege Nichtpianisten nahe, Beispiel 3 mit der linken Hand eine Oktave tiefer am Klavier zu üben. Spielen Sie dazu mit der rechten Hand die Übungen von Beispiel 1. So können Sie die grundlegende Harmonie der linken Hand (Terz und Septime) hören, während Sie mit der rechten Hand Patterns spielen oder improvisieren.

Die meisten guten Bläser haben Kenntnis im Klavierspiel und können den Blues in mehreren Tonarten spielen. Es ist viel leichter, harmonische Probleme zu lösen, während man auf die Klaviertastatur schaut, als beim Blick auf eine Saxophongrifftabelle oder auf Trompetenventile.

Eine gute Idee ist es, die Terz oder Septime über einen Halbtonschritt anzuspielen. Es verstärkt die Harmonie. Das folgende Beispiel zeigt eine gute Tonauswahl für den Taktanfang:

Beispiel 4

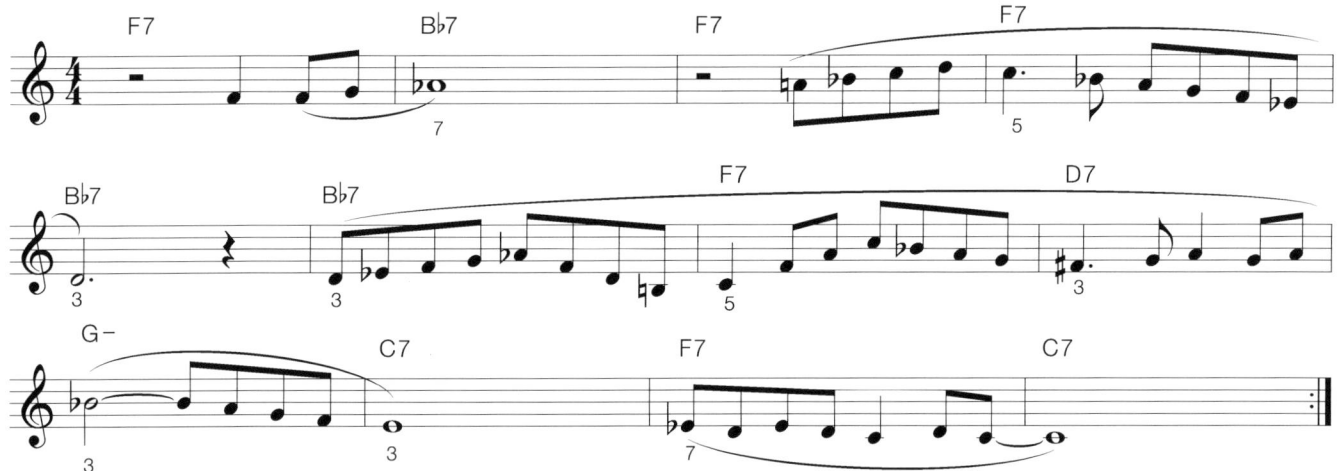

Die Bluesskala kann natürlich zu jeder Zeit während eines Chorus' gespielt werden. Die Töne der Bluesskala reiben sich manchmal mit der gegebenen Harmonie, aber gerade das läßt es eben nach Blues klingen! Würde es sich nicht auf diese schöne Art reiben, würden wir es nicht Blues nennen. Achten Sie sorgfältig darauf, daß Sie Ihr Solo nicht nur auf den Klang der Bluesskala beschränken und so die Möglichkeit übersehen, andere Skalen (Moll oder Dominantsept) zu verwenden. Die Bluesskala der Tonart F besteht aus:

F, A♭, B♭, B, C, E♭, F.

Zusammenfassung:

- Spielen Sie das, was Sie in Gedanken hören. Nehmen Sie Ihren Gesang auf eine Kassette auf und spielen Sie es mit Ihrem Instrument nach. Seien Sie geduldig. Falsche Töne zu singen ist schwer.

- Singen Sie, wann immer Sie Zeit haben. Denken Sie dabei an die Intervalle – singen Sie Bruchstücke oder Teile von Skalen oder Akkorden?

- Hören Sie sich Jazzmusiker an, die den Blues spielen. Vorschlag: Sonny Rollins und Sonny Stitt in dem Stück »After Hours« (Verve CD J33J 25034 »Sonny Side Up« – unter Dizzy Gillespies Namen).

- Probieren Sie meine Mitspiel-Sets »Nothin' But Blues« (Vol. 2 dieser Serie) und »Blues in All Keys« (Vol. 42) aus. Für diejenigen, die diese Sets bereits besitzen: Haben Sie versucht mit allen Titeln zu spielen oder nur mit den Blues in F und B♭? Es ist an der Zeit weiterzugehen!

- Denken Sie daran, daß die Terz und die Septime normalerweise die wichtigsten Töne sind. Diese Töne sollten betont werden, um die harmonische Bewegung von einem Akkord zum anderen hervorzuheben.

- Verwenden Sie beim Improvisieren über einen Blues alles, was Sie über melodischen Aufbau gelernt haben – nicht nur die Bluesskala. Dieser Klang kann in den Händen eines Unerfahrenen ziemlich mager werden. Mischt man sie aber mit Phrasen aus der Originalharmonie, kann sie sehr interessant klingen.

- Transkribieren Sie Ihr Lieblingssolo oder einen Teil davon und spielen Sie es mit allen Nuancierungen der Aufnahme auf Ihrem Instrument. Die Jazztradition wurde durch Imitation (abhören und nachspielen = transkribieren) an die nächste Generation weitergegeben und auch Sie können von Transkriptionen sehr profitieren.

Die Bluesskala und ihre Anwendung

❏ Die Bluesskala besteht aus folgenden Tönen: Grundton, kleine Terz, Quarte, verminderte Quinte, reine Quinte und Septime. Beispiel für eine Bluesskala in F:

F, A♭, B♭, C♭, C, E♭, F

Bei einem zwölftaktigen Blues in G können Sie ausschließlich diese Bluesskala verwenden:

G, B♭, C, D♭, D, F, G

Bei einem zwölftaktigen Blues in B♭ können Sie ausschließlich diese Bluesskala verwenden:

B♭, D♭, E♭, E, F, A♭, B♭

❏ Die Bluesskala kann auch bei Mollakkorden, die 2, 4, 6, 8, 16 Takte oder länger klingen, verwendet werden. Beispiel: Wenn D Moll acht Takte lang erklingt, können Sie dazu die Bluesskala in D spielen:

D, F, G, A♭, A, C, D

❏ Bei Molltonarten können Sie zwischen der dorischen Skala und der Bluesskala wechseln – beide mit demselben Grundton. Beispiel: D Moll klingt acht Takte lang – spielen Sie D dorisch, oder die Bluesskala in D. Sie können auch zwischen beiden Skalenklängen wechseln. Versuchen Sie einmal, bei einem der ersten vier Titel zwischen dorisch und der entsprechenden Bluestonleiter hin und herzuwechseln.

❏ Die Bluesskala wird verwendet, um eine(n) »*Funky*«, »*Down Home*«, »*Earthy*« oder »*Bluesy*« Stimmung/*Sound* zu vermitteln. Zerstören Sie ihre Wirkung nicht durch allzu häufige Verwendung! Rhythm- und Bluesmusiker verwenden diese Tonleiter ausgiebig. Experimentieren Sie mit den unten angeführten Bluesskalen und spielen Sie sie mit der CD.

Die zwölf Bluesskalen im Violinschlüssel

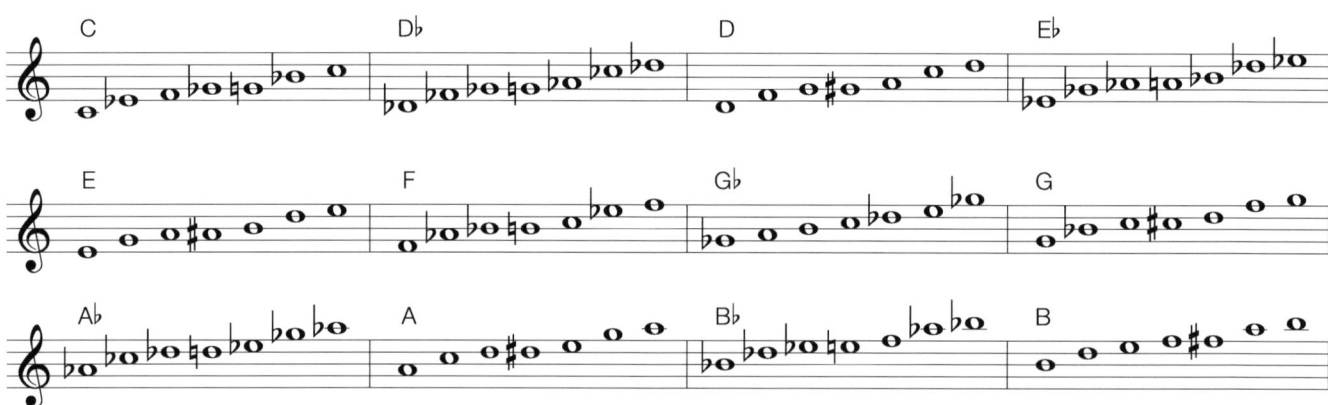

Die zwölf Bluesskalen im Baßschlüssel

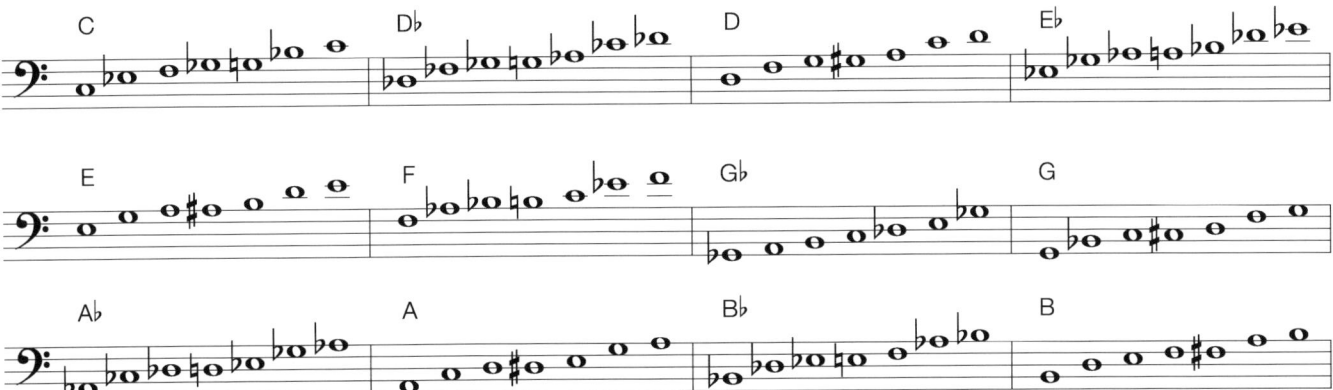

Nachdem Sie mit der Bluesskala vertraut sind, können Sie Töne dazufügen, die dem Skalenklang mehr Abwechslung verleihen. Zusätzliche Töne sind unterstrichen. Beispiel für eine Bluesskala in F:

F, G, A♭, A, B♭, B, C, D, E♭, F

Diese Tonleiter klingt eigenartig, wenn sie einfach auf- und abwärts gespielt wird. Jazzmusiker spielen meist nur Teile davon oder bauen Licks mit bestimmten Tönen daraus auf. Sie können diese Skala als Übung in alle zwölf Tonarten transponieren. Für jetzt genügt es, sie in klingend B♭ und F zu lernen.

Weiter hinten im Buch finden Sie fünf Bluesthemen, die Sie auswendig lernen sollten (C Instrumente: Seite 85-86; B♭ Instrumente: Seite 92-93; E♭ Instrumente: 106-107; Baßschlüssel-Instrumente: Seite 120-121).

Septakkorde

Ein Dreiklang besteht aus drei aufeinandergestapelten Tönen, nämlich Grundton, Terz und Quinte.

Der Septakkord ist wie ein Dreiklang, bei dem verschiedene Terzintervalle übereinander geschichtet werden. Wenn Sie einem Dreiklang eine kleine oder große Terz hinzufügen (große Terz = vier Halbtonschritte und kleine Terz = drei Halbtonschritte), bekommen Sie einen Septakkord. Es gibt vier verschiedene Arten von Septakkorden in der dorischen Molltonleiter: Dursept (Major 7), Mollsept (Moll 7), Dominantsept und den halbverminderten Septakkord. Das folgende Beispiel veranschaulicht den unterschiedlichen Aufbau dieser Akkorde.

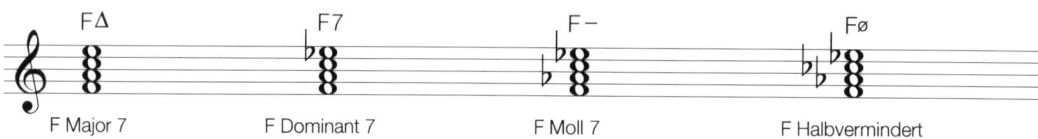

Jeder Ton einer Skala kann der Grundton eines Dreiklangs oder eines Septakkordes sein. Errichtet man auf jeder Stufe der dorischen Skala Septakkorde, ergibt sich von unten nach oben folgende Reihenfolge der Akkorde: Moll, Moll, Dur, Dominant, Moll, halbvermindert und Dur. Wenn wir z.B. auf jeder Stufe von F dorisch einen Septakkord aufbauen, sieht das Ergebnis so aus:

Septakkorde auf den Skalentönen (horizontal)

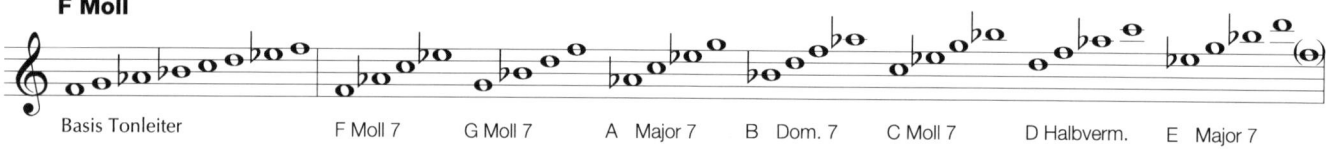

Vertikal aufgebaut, sehen diese Septakkorde so aus:

Septakkorde auf den Skalentönen (vertikal)

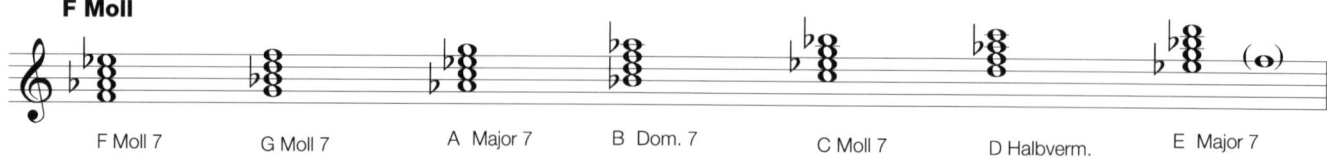

Jede Note im Septakkord hat einen Namen. Der unterste Ton ist der Grundton (Tonika), der zweite Ton von unten ist die Terz, der dritte die Quinte und der oberste die Septime. Da alle Septakkorde, die innerhalb einer Molltonleiter gebildet werden nur die Töne der Grundskala enthalten, kann jeder dieser Akkorde in der Improvisation über den Tonikaakkord verwendet werden. Das heißt, jeder der Akkorde kann vertikal und horizontal über F Moll gespielt werden. Einige Septakkorde erzeugen naturgemäß mehr Spannung als andere. Spannung wird durch die Verwendung anderer Töne als des Grundtones, der Terz oder Quinte erreicht. Diese drei Töne stehen in engster Verwandtschaft zur Grundtonleiter und klingen daher konsonant. Wenn der Solist Septakkorde der ersten oder dritten Stufe der Grundskala verwendet, erzeugt er einen Klang, der dem der Grundskala sehr ähnlich ist. Wählt er Septakkorde der 2., 4., 5., 6. oder 7. Stufe der Grundskala, entsteht automatisch Spannung, die eventuell zum Grundton, zur dritten oder fünften Stufe drängt.

✎ Im wesentlichen sind der Grundton, die Terz und die Quinte die konsonantesten Töne der Skala. Diese drei Töne sind bestens für den Beginn oder das Ende einer Phrase geeignet.

Wenn ein Solist länger auf anderen Tönen verweilt, erzeugt er Spannung, die sich natürlich und melodisch in einen konsonanten Ton auflösen sollte. Natürlich sind auch Mittel wie Tonartwechsel, abrupter dynamischer Wechsel, Tempowechsel, Verwendung von Pausen oder Kombinationen dieser Möglichkeiten zur Auflösung der Spannung geeignet.

Wenn Sie eine Phrase oder Idee im 4/4-Takt auflösen, beenden Sie sie am Natürlichsten auf die Eins oder Drei oder auf die Zwei und oder die Vier und.

✎ Die Eins und die Drei sind die starken Zählzeiten im Takt.

Septakkorde übt man in der gleichen Weise wie Dreiklänge. Spielen Sie zuerst Arpeggios jedes einzelnen Septakkordes der Grundskala. Die Grundskala ist immer die, mit der Sie gerade arbeiten. Septakkorde können auf allen Stufen jeder Skala aufgebaut werden. Denken Sie daran: es gibt zwölf Mollskalen, zwölf Durskalen und zwölf Dominantskalen. Üben Sie Septakkorde aller Skalen. Beschränken Sie sich nicht auf die leichteren.

Gehen Sie beim Planen Ihrer Übungsstunden methodisch vor.

Beim Üben werden Sie feststellen, daß Sie den einen oder anderen Septakkord in mehreren Skalen vorfinden. Der Akkord C∆ taucht z. B. auch auf der 3. Stufe von A dorisch oder der 7. Stufe von D dorisch auf. Vieles gleicht sich. Lernen Sie, es zu erkennen.

Es ist äußerst wichtig, daß Sie wissen, wo auf Ihrem Instrument die Akkordtöne liegen...1, 3, 5 & 7. Wie ich schon sagte, wo sich die Akkordtöne befinden, sollten Sie genauso wissen, wie die von Badezimmer, Küche, Telefon und Haustür. Ohne Sie kann man unmöglich sinnvolle Musik machen. Auf Seite 64 sind ALLE Septakkorde.

Time und Feeling

Eines der wichtigsten Elemente der melodischen Phrasierung ist die Plazierung der Töne in Relation zum Grundpuls. Die drei bekanntesten Plazierungsarten in Relation zum Grundpuls sind:

> Vor dem Schlag (*on top*) – siehe Beispiel 1
> Auf dem Schlag (*right on*) – siehe Beispiel 2
> Nach dem Schlag (*laying back*) – siehe Beispiel 3

Vor dem Schlag spielen heißt nicht, immer schneller zu werden. Es bedeutet einfach, daß der Musiker ständig vor dem Grundpuls spielt, deswegen aber keinesfalls schneller wird. Auf dem Schlag spielen heißt, exakt mit dem Grundpuls der Rhythmusgruppe zu spielen ...das Tempo, mit dem eingezählt wurde. Spielt jemand nach dem Schlag, ist seine Phrasierung schleppend oder man hat den Eindruck, als ob er zurückhalten würde. Nach dem Schlag zu spielen, kann ein träges Gefühl vermitteln, während das Spiel vor dem Schlag Erregung andeutet. Auf dem Schlag zu spielen, vermittelt ein solides sicheres *Time-Feeling*. Ich persönlich glaube, daß Improvisationsanfänger auf dem Schlag spielen sollten. Wenn es sich später in der musikalischen Entwicklung, durch die Art der Persönlichkeit empfiehlt, vor oder nach dem Schlag zu spielen, werden Sie dadurch in der Lage sein, den Grundpuls wiederzufinden. Hören Sie unbedingt auf die Rhythmusgruppe und passen Sie den Fluß Ihrer Noten an sie an.

Beim Spiel hinter dem Schlag, muß man sehr darauf achten, daß die Viertelnoten genau mit dem Puls der Rhythmusgruppe übereinstimmen. Werden die Töne immer mehr verzögert, kommt man sehr leicht ins schleppen. Schleppende Phrasen sind meistens sterbenslangweilig! Wenn andererseits die Töne oder Phrasen immer hastiger (in Relation zum Grundpuls der Rhythmusgruppe) aufeinander folgen, wird man immer schneller, was natürlich auch nicht richtig ist. Unsere Überlegungen über die *Time* gelten für jede Taktart: 4/4, 3/4, 6/8, 5/4, 7/4 etc.

Jeder Musiker wird hoffentlich seinen eigenen *Groove* finden und lernen, mit Rhythmusgruppen zu spielen, die vor, auf oder nach dem Schlag spielen. Die Art, wie Sie Ihre Töne in Relation zum Grundpuls spielen, kann ebenfalls Spannung und Entspannung hervorrufen. Siehe folgenden Abschnitt.

In den folgenden Beispielen wird der Grundpuls durch die Ziffern 1 2 3 4 dargestellt.

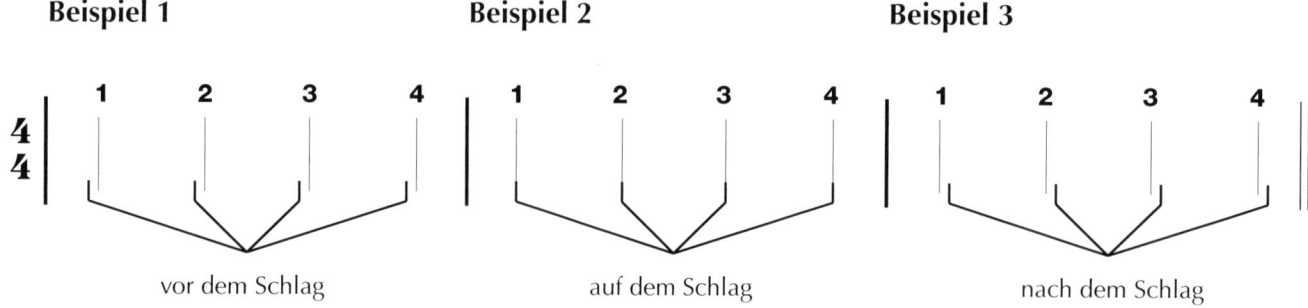

Melodische Entwicklung

Spannung und Entspannung

Das Schaffen schöner Melodien ist schon seit jeher eines der wichtigsten Anliegen von Musikern jeden Alters gewesen. Diese Melodien spontan zu kreieren, ist die Kunst des Improvisierens. Das höchste Ziel eines jeden Musikers ist, mit dem Zuhörer zu kommunizieren. Sobald Sie verschiedene Skalen beherrschen und begonnen haben, verschiedene Rhythmen zu verwenden, werden Sie sich melodisch ziemlich eingeengt fühlen. Wenn die Akkorde oder Skalen jeden Takt wechseln, ist schon eine gewisse harmonische Bewegung, die das Stück aufleben läßt, gegeben – allerdings nur bis zu einem gewissen Grad. Das Improvisieren über eine Skala (vier, acht oder mehr Takte) verlangt vom Musiker, sich ganz besonders auf Melodie und Rhythmus zu konzentrieren, weil die Harmonik statisch ist. Ein fortgeschrittener Musiker wird auch harmonische Kunstgriffe (Akkorderweiterungen oder alterierte Skalen) in sein Spiel einbringen. Der Neuling hat nur die Melodie und den Rhythmus, auf die er sich beim Aufbau eines guten Solos stützen kann.

Melodien aller Musikrichtungen – Jazz, Klassik, Volksmusik, Pop und Rock – haben eines gemeinsam, was sowohl den Zuhörer als auch den Musiker selbst anspricht, und diese Gemeinsamkeit liegt in der richtigen Anwendung von Spannung und Entspannung.

Das Leben ist Improvisation. Improvisieren heißt leben.

Spannung ist das, was Intensität und Erregung erzeugt. In der Musik kann Spannung erzeugt werden durch: Dynamik, Richtung der Melodielinie, Tonumfang, große Intervalle, Verringerung der Notenwerte (Ganze – Halbe – Viertel – Achtel etc.), Ruhe – Bewegung – Ruhe, Wiederholung (von beinahe allem), Kontrast (ganz besonders sofortiger Kontrastwechsel) oder jede beliebige Kombination dieser Elemente. Entspannung ist der Rückgang der Spannung und muß jedem Höhepunkt folgen. Spannung kann am schnellsten durch Abwärtsbewegung abgebaut werden. Zu lange Spannung hat die Tendenz in Langeweile überzugehen. Der Musiker muß sich zu jeder Zeit über den Aufbau seines Solos bewußt sein.

Es ist logisch, Soli in vier- und achttaktigen Phrasen aufzubauen. Die meisten guten Solisten denken in langen, fließenden Linien und nicht in kurzen, unzusammenhängenden, fragmentierten Phrasen. Kurze, abgehackte Phrasen erzeugen anfänglich Spannung, leiern sich aber sehr schnell in eine unerwünschte Art von Entspannung aus. Bemühen Sie sich während des ganzen Solos um eine Kontinuität der Ideen.

Das Spielen musikalischer Phrasen sollte eigentlich so leicht sein wie ein Gespräch mit einem Freund. Spielen Sie diejenigen Melodien, die Sie im Kopf hören. Singen Sie zu der Play-Along-Aufnahme.

Sobald das Solo an Schwungkraft gewinnt, sollten Sie den Fluß der melodischen Linie auf den Höhepunkt zulenken und dann sofort Spannung abbauen, um das Solo zu beenden. Grafisch dargestellt sieht das so aus:

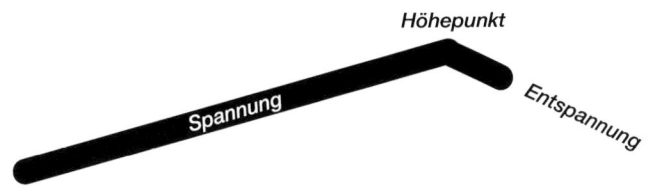

Wirklich erfahrene Musiker können Melodien mit aufeinander folgenden Spannungs- und Entspannungsphasen aufbauen und erzielen dadurch einen Effekt der so aussieht:

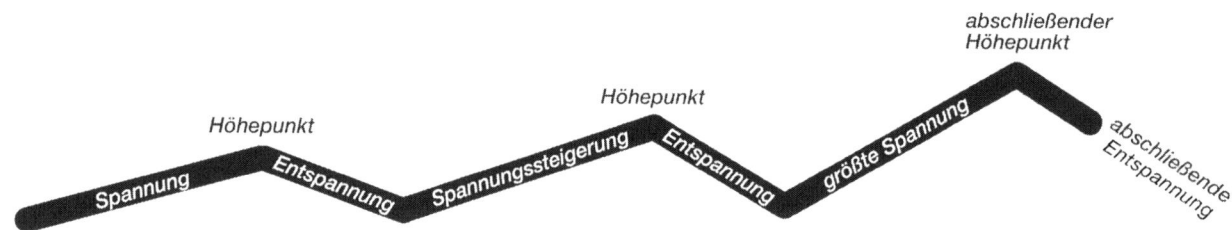

Viele Anfänger spielen Soli, denen es an Kontrast mangelt. Zuviel Gleichförmigkeit wirkt auf den Zuhörer einschläfernd und erzeugt diese Linie:

Ein guter Anfang zusammen mit einem schwachen Ende kann so aussehen:

Eine zu lange Entspannungsphase langweilt den Zuhörer und macht die am Anfang erzeugte Spannung zunichte.

Wenn man mehr als einen Höhepunkt im Solo erreichen will, ist es am besten, sukzessive zu steigern. Und zwar nach und nach. Dadurch wird insgesamt der Eindruck ansteigender Spannung erzeugt, die in einer Entspannungsphase endet, welche wesentlich kürzer als die Aufbauphasen sein muß.

Die grafischen Darstellungen der Melodielinien können einen oder mehrere Chorusse darstellen, abhängig von Vorstellungskraft und Fähigkeit des Solisten. Der Anfänger sollte sich auf vier- oder achttaktige Ideen beschränken. Fließende Linien werden erreicht, indem man eine Phrase möglichst reibungslos in die nächste übergehen läßt.

Jeder Improvisierende sollte sich an die traditionelle Folge musikalischer Ereignisse halten: Vorstellung des Themas (Motiv), Entwicklung des Themas, Höhepunkt und Entspannung.

Vorstellung ➡ Entwicklung des Themas ➡ Höhepunkt ➡ Entspannung

Ich war immer der Überzeugung, daß die meisten guten Jazzsoli zu 50% aus Emotion und 50% Intellekt bestehen. Soli, die einen bleibenden Eindruck hinterlassen, besitzen genau das richtige Maß an Emotion gepaart mit einer intelligenten Gestaltung. Auf diese Art zu singen ist einfach. Wir müssen nur noch lernen, es auf unser Instrument zu übertragen.

Ich kann mir keinen besseren Weg vorstellen, melodiös improvisieren zu lernen, als den Meistern ihres Faches zuzuhören und zu versuchen, ihr Konzept zu übernehmen. Wie können wir verlangen, daß uns irgend jemand zuhört, wenn wir selbst nicht zuhören.

Einige meiner Lieblingssolisten, die ausdrucksvolle Soli spielen, sind Charlie Parker, Louis Armstrong, Sonny Rollins, John Coltrane, Miles Davis, Wes Montgomery, Freddie Hubbard, Erroll Garner, Herbie Hancock, Coleman Hawkins, Lester Young, Clifford Brown, Dizzy Gillespie, Ornette Coleman, Roy Haynes und Elvin Jones. Diese Liste ist kurz. Es gibt noch sehr viel mehr.

Transkribierte Soli können für das Verständnis von Spannung und Entspannung, und wie Musiker ihre Soli aufbauen, sehr hilfreich sein. Ich empfehle folgende Bücher:

28 MODERN JAZZ TRUMPET SOLOS – Ken Slone/Jamey Aebersold (2 Hefte)

JIMMY RANEY SOLOS – ein Zusatzheft zu Vol. 20

CHARLIE PARKER »OMNIBOOK« für Instrumente in E♭, B♭, C und im Baßschlüssel

JAZZ STYLES & ANALYSIS FOR TROMBONE – David Baker

JAZZ STYLES & ANALYSIS FOR ALTO SAX – Harry Miedema

JAZZ TRANSCRIPTION – Niels Lan Doky (Soli von Michael und Randy Brecker, John Scofield, Herbie Hancock u.a.). Enthält eine Anleitung wie man transkribierte Soli verwenden kann

MODERN JAZZ TENOR SOLOS – Hunt Butler

CLIFFORD BROWN SOLOS – Ken Slone

CHET BAKER SOLOS – Thorsten Wollman/Joel Mott (2 Hefte)

J. J. JOHNSON SOLOS – David Baker

HERBIE HANCOCK – CLASSIC COMPOSITIONS AND PIANO SOLOS – Bill Dobbins

CHICK COREA - NOW HE SINGS, NOW HE SOBS – Bill Dobbins

Elemente, die Spannung erzeugen

Crescendo
   Aufsteigende Linien
      Betonung von Durchgangstönen (akkord- oder skalenfremde Töne)
         Äußerste Bereiche des Instruments
            Große Intervalle (ganz besonders aufwärts)
               Kurze Töne (Achtel, 16tel oder kürzer)
                  Wiederholungen (von beinahe allem)
                     Wechselnde Richtungen
                        Schroffe Artikulation (Flatterzunge, das Blatt stark anstoßen, überblasen etc.)
                           Akkordfremde Töne (Quarten, Sexten, Septimen, Nonen etc.)
                             Dramatische Mittel (*Swoops*, Glissandos, *Shakes*, Triller etc.)
                         Dissonante Harmonien

Elemente, die Entspannung erzeugen

Diminuendo
   Absteigende Linien
      Lange Töne (Viertel, Halbe, Ganze)
         Pausen
            Legato
               Betonung von Akkordtönen (Grundton, Terz, Quinte)
                  Stille
                     Konsonante Harmonien

In den Händen eines erfahrenen Musikers kann jedes dieser Elemente Spannung oder Entspannung erzeugen. Man könnte z.B. im hohen Register sehr leise beginnen und die Lautstärke beim Heruntergehen allmählich steigern. Ist man beim tiefsten Ton angelangt, hat man bereits einen Höhepunkt erreicht. Auf jeden Fall muß der Musiker wissen, in welche Richtung sich seine melodische Linie bewegen soll. Bei richtiger Anwendung werden ihm die verschiedenen Elemente helfen, das erstrebte Ziel zu erreichen. Es bleibt dem Einzelnen überlassen, diese Elemente in einer persönlichen Art und Weise einzusetzen. Zuhören und Nachahmen können die besten Lehrer sein.

Für weitere Studien der melodischen Entwicklung, der Time und anderer Aspekte, sollten Sie sich die Literaturempfehlung (S. 136) ansehen. Ich empfehle ganz besonders »Improvising Jazz« von Jerry Coker, »Patterns for Jazz« von Jerry Coker/J. Greene/J. Casale/G. Campbell und »Jazz Improvisation« von David Baker.

Schließen Sie beim Improvisieren die Augen. Das wirkt stimulierend auf Ihren kreativen Fluß. Humor kann genau dasselbe bewirken.

Verwandte Skalen und Modi

Nach der Arbeit mit Dreiklängen und Septakkorden sollte es klar sein, daß es verschiedene Skalen und Akkorde innerhalb jeder einzelnen Tonleiter gibt. Viele Musiker sehen D dorisch als C Durtonleiter, die auf der zweiten Stufe beginnt.

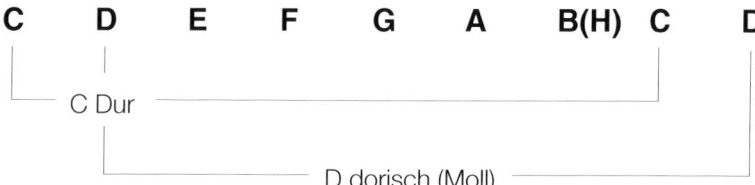

Da jede dieser Tonleitern dieselben Vorzeichen hat (in diesem Fall keine), ist es logisch und nützlich, so zu denken. Eine andere allgemein gebräuchliche Skala findet man ebenfalls innerhalb dieser zwei Skalen (ohne jegliche Vorzeichen). Es ist die G7 Skala (G Dominantseptskala oder mixolydische Skala).

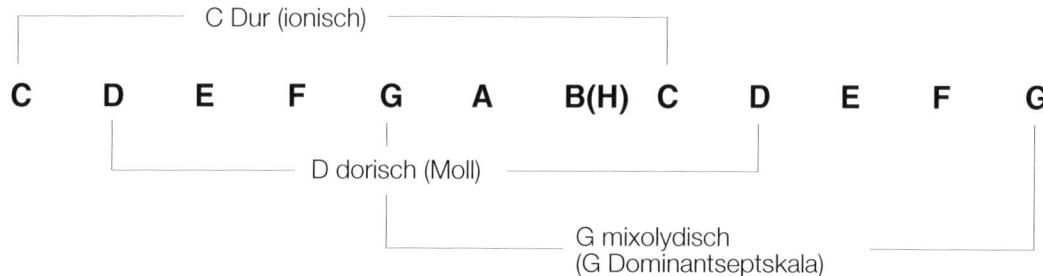

Wie man sieht, klingt immer, wenn eine C Durskala über eineinhalb Oktaven oder mehr gespielt wird, auch D dorisch und G mixolydisch mit. Diese drei Skalen haben eines gemeinsam: keine Vorzeichen. Auch die Griffe sind dieselben.

Es mag für den Anfänger hilfreich sein, die dorische Skala auf die verwandte C Durskala, die einen Ganzton tiefer beginnt, zu beziehen: C Dur = D dorisch (D–) = G mixolydisch (G7). Diese drei Skalen haben dieselbe Tonartbezeichnung...keinerlei Vorzeichen und identische Griffe.

☞ **WICHTIG:** Bei dieser Betrachtungsweise gibt es eigentlich nurmehr zwölf Skalen oder Tonarten zu lernen. Die 36 Skalen können also auf 12 reduziert werden. Sehen Sie nach, ob Sie auf der Seite mit den Skalen diejenigen finden können, die einander entsprechen. Beispiel: C, D– und G7 oder A, B– und E7.

Ich will damit nicht sagen, daß es nicht mehr Skalen gibt (siehe Skalenverzeichnis Seite 66). Ich stelle diese drei Skalen nur heraus, weil dieser erste Band auf ihnen aufgebaut ist, wie der Großteil der Jazz- und Popmusik. Üben Sie diese drei verwandten Skalen mit Track 6 – viertaktige Kadenzen. Bei genauer Betrachtung der Tonarten (im Ganzen 8 Takte) werden Sie feststellen, daß die ganze Aufnahme nur sechs Durtonleitern verwendet. Ich benutze den Ausdruck Durtonleitern, weil die meisten Menschen die Durtonleitern zuerst lernen und so schneller einen Bezug dazu finden.

Beispiel ‖: D− | G7 | C△ | C△ :‖
         DORISCH DOMINANT 7 DUR DUR

Gleiche Vorzeichen

Das folgende Beispiel zeigt eine Aufstellung der sieben Skalen (man nennt sie auch Modi), die zusammen unsere Durtonleiter ergeben. Die Bezeichnungen in Klammern stammen von den Kirchentonarten (16. Jahrhundert). Sie sind heute noch gebräuchlich – dorisch, lydisch, mixolydisch.

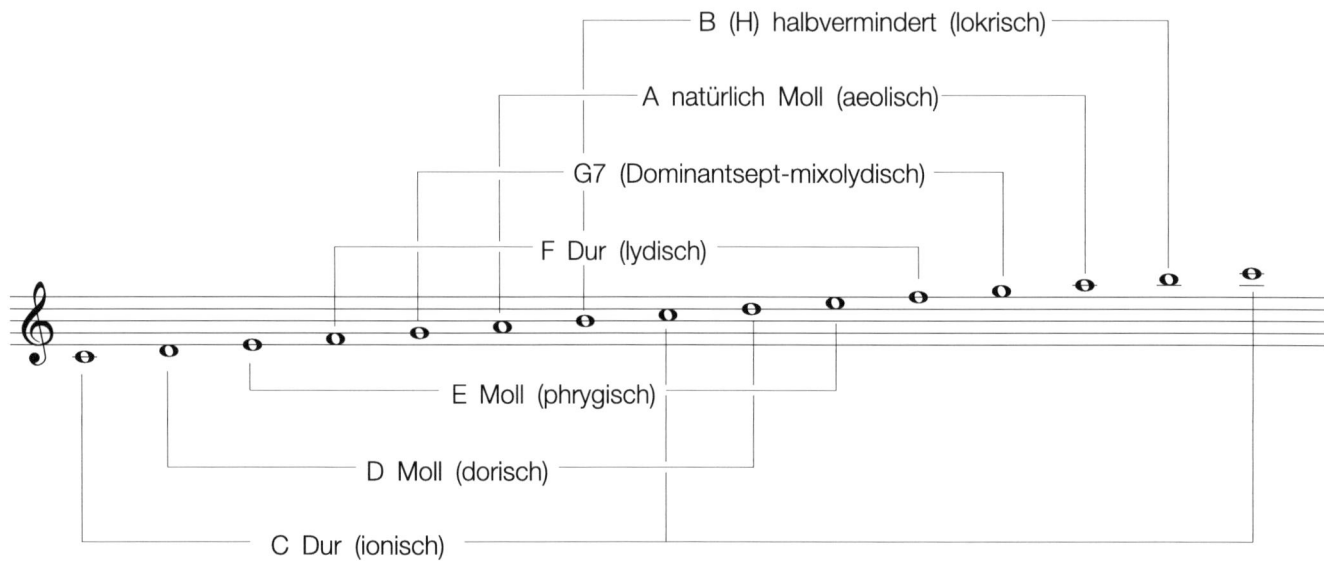

ARTIKULATION

Wie kann ich mich besser ausdrücken?

Ein spezielles Merkmal des Jazz ist die Artikulation, die die verschiedenen Musiker verwenden, um sich durch ihre Musik auszudrücken. Manche Musiker begnügen sich mit der Standard-Swing-Artikulation, die in der Swing und Bebop Ära sehr gebräuchlich war. Andere wiederum verwenden wenig Artikulation und vertrauen auf Legatospiel und gebundene Phrasen. Wieder andere verwenden Staccato in ihrem Spiel, um Interesse zu erwecken oder bestimmte Töne oder Phrasen hervorzuheben. Die meisten Musiker verwenden bei der Artikulation ihrer Phrasen eine Vielfalt verschiedener Schattierungen und Ausdrucksweisen. In Kombination mit dem jeweiligen Sound macht dies schon den Großteil der Persönlichkeit eines Musikers aus. Der Gebrauch des Stakkatos empfiehlt sich nur für fortgeschrittene Musiker. Anfänger sollten zunächst die gebräuchlicheren Artikulationen lernen. Heben Sie sich das Stakkato für die Militärkapelle auf.

In meiner Jugend, als ich noch Vieles über Jazz zu lernen hatte, wußte ich bereits instinktiv, daß Töne, die ohne die richtige Artikulation gespielt wurden, auf taube Ohren stießen. Deshalb hörte ich mir Musiker wie Duke Ellington, Count Basie, Ted Nash, Charlie Parker, The Metronome All Stars, Oscar Pettiford, Stan Kenton, Stan Getz, Dizzy Gillespie und noch viele andere an. Ich lernte, wie sie ihre Töne phrasierten. Und ich kopierte ihre Artikulation, weil ich wie sie klingen wollte. Irgendwann fing ich dann an, wie ich selbst zu klingen, aber mit einer typischen Jazzartikulation und -phrasierung. Mein Hauptinstrument ist eigentlich das Altsaxophon, aber ich spiele auch Klavier und Baß.

Die meisten Musiker entwickeln im Laufe der Zeit ihren ganz persönlichen Artikulationsstil. Junge Musiker haben oft Probleme ihre Muskel zu koordinieren, sodaß die Finger im richtigen Zeitpunkt die Klappen, Ventile oder Tasten drücken – sei es Saxophon, Trompete, Piano, Gitarre oder was auch immer. Stellen Sie sich Artikulation als Mittel vor, sich genau auszudrücken. Niemandem macht es Spaß, einem Redner oder einem Musiker zuzuhören, der seine Botschaft nicht vermitteln kann, weil sein Verstand nicht mit seiner Stimme, seinen Lippen, Fingern, seiner Atmung etc. koordiniert ist.

Manche Musiker scheinen eine natürliche Begabung zu haben, dem Jazz-Idiom entsprechend zu artikulieren. Diese Musiker haben sich meist Platten angehört und sich die üblichen, von vielen Jazzmusikern verwendeten Artikulationsstile eingeprägt. Durch das Aufarbeiten von älteren Artikulationsstilen – meistens werden von verschiedenen Musikern bestimmte Artikulationseigenschaften übernommen und mit Eigenem vermischt – sind Sie letztendlich in der Lage, in verschiedenen Stilen zu spielen.

Einer der größten Stolpersteine, der in Treppenstufen verwandelt gehört, steht vor demjenigen Musiker, der zu viel Zungenstoß verwendet (tat, tat, tat oder tut, tut, tut). Für Keyboard, Baß oder Gitarre und ähnliche Instrumente bedeutet Zungenstoß in diesem Kapitel einen harten Anschlag oder zu starke Betonung. Mehrere gestossene Töne hintereinander lassen die Phrase zerhackt klingen. Die Musik der vergangenen fünfzig Jahre geht mehr in Richtung eines entspannteren, gleitenden oder fließenden Legatostils. Wenn ich jemand mit dieser *Staccato*-Artikulation spielen höre, weiß ich sofort, daß er nicht die Möglichkeit (oder Zeit) hatte, Jazzaufnahmen von den großen Musikern der letzten 40 Jahre zu hören. Er sollte die Töne weicher anstossen (Legato-Zunge – tah, tah, tah oder tuh, tuh, tuh). Jazz ist bis heute eine Kunstform geblieben, die intensives Zuhören verlangt. Die Chance, Jazzmusiker zu werden, ohne die Musik der Vergangen-heit zu hören, ist sehr gering. Mit all den Platten auf dem Markt heutzutage, gibt es keine Entschuldigung, die einzelnen Artikulationsschulen und ihre Hauptvertreter nicht zu kennen.

Durch das Anstossen erhält der Ton eine gewisse Betonung. Das hebt ihn von den vorangegangenen und den nachfolgenden Tönen ab. Durch das Üben der folgenden Beispiele, das Hören von Jazzmusikern, die Ihr Instrument spielen (auf Aufnahme und bei Auftritten), durch experimentieren mit Artikulation im allgemeinen und durch das sich öffnen für neue Ideen, können Sie Ihr Spiel verbessern und dadurch mit Ihrer Musik zufriedener sein. Gute Artikulation verbessert ganz sicher die Kommunikation zwischen dem Ausführenden und dem Zuhörer!

Spielen Sie die folgenden Übungen mit einem Metronom. Beginnen Sie langsam und steigern Sie allmählich das Tempo – allerdings nicht zu schnell. Hören Sie sich selbst beim Spielen zu.

Wenn Sie mit der Übung in G Dur vertraut sind, (Sie dürfen auch eine andere Skala verwenden, wenn Ihnen diese bequemer erscheint) dann versuchen Sie sie zu Titel 1 zu spielen oder mit dieser Artikulation zu improvisieren. Sie können diese Artikulationsübungen zu jeder Aufnahme und zu den zwanzig Übungen am Anfang dieses Buches verwenden, vor allem die Übungen mit Viertel- und Achtelnoten.

Die Artikulation muß automatisch kommen, denn erst dann kann sie natürlich klingen. Nicht eilen oder das Tempo zu schnell vorwärts treiben bei diesen Übungen. Sie können auch eigene Übungen erfinden und dabei immer andere Töne der Skala betonen. Erweitern Sie die Übungen auf zwei Oktaven und dann auf den vollen Tonumfang Ihres Instrumentes! Ich glaube, daß es eine gute Idee ist, die Übungen zuerst mit starken Akzenten zu beginnen und sie allmählich abzuschwächen. Der starke Akzent wird vor allem denjenigen helfen, Akzente genau zu plazieren, die noch kaum in dieser Art artikuliert haben. Das genaue Anhören von Aufnahmen ist auch hier der beste Lehrmeister.

Das Ziel ist die kontrollierte Akzentuierung (schwer, mittel, leicht, staccato, legato, gehaucht, growl, stechend, etc.) eines Tones oder einer Phrase, ohne dadurch den FLUß und das GEFÜHL Ihrer melodischen Linien zu stören.

Es ist äußerst wichtig, nicht nur die G Durskala und die chromatische Skala zu üben. Üben Sie diese Artikulationsmöglichkeiten in allen Tonarten und mit allen Skalen. Vergessen Sie nicht, wir improvisieren in allen Tonarten, nicht nur in den leichteren – oder?

Einige Punkte, die beim Improvisieren zu beachten sind:

❏ Musik ist Kommunikation – Improvisation ist eine spezielle Art von Kommunikation.

❏ Spielen Sie nicht in jedem Solo alles was Sie können.

❏ Hören Sie sich selbst zu; bauen Sie die Idee, die Sie gerade gespielt haben aus!

❏ Enthält Ihr Spiel zu viel Spannung oder Entspannung?

❏ Würden Sie mit Worten so umgehen wie mit Tönen?

❏ Mit jedem Solo haben Sie Gelegenheit, etwas zu sagen – tun Sie es?

❏ Wir können uns gewöhnlich daran erinnern, was wir gerade gesagt haben; können Sie sich erinnern was Sie gerade musikalisch mitgeteilt haben?

❏ Ihr Instrument ist nur ein Mittel, um Gedanken umzusetzen.

❏ Bringen Sie Ihre melodischen Linien mit Hilfe Ihres Instrumentes zum Singen.

❏ Ihr Ziel ist es, das auf Ihrem Instrument wiederzugeben, was Sie in Ihren Gedanken hören.

> »Ich habe immer versucht, die Melodien besser wiederzugeben als die Komponisten, die sie schrieben. Ich habe immer versucht, dabei etwas zu erfinden, was nicht einmal ihnen selbst eingefallen wäre. Für mich besteht die wahre Herausforderung darin, nicht die Absichten des Komponisten zu ändern, sondern mit den Parametern des Komponisten kreativ, phantasie- und bedeutungsvoll umzugehen.«
>
> Tenorsaxophonist Joe Henderson

Diese Übungen wurden von Sonny Rollins, einem Meister von Artikulation und Timing, über Freddie Hubbard weitervermittelt.

Stoßen Sie jeden zweiten Ton an.

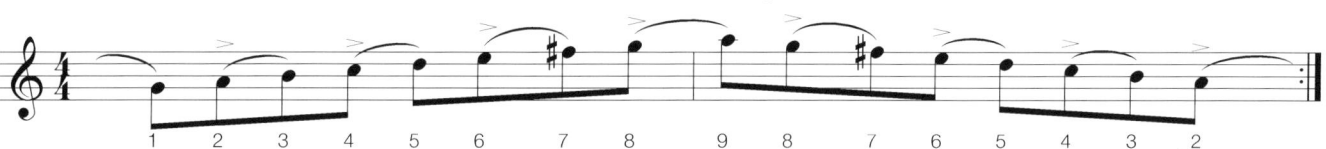

Stoßen Sie jeden vierten Ton an.

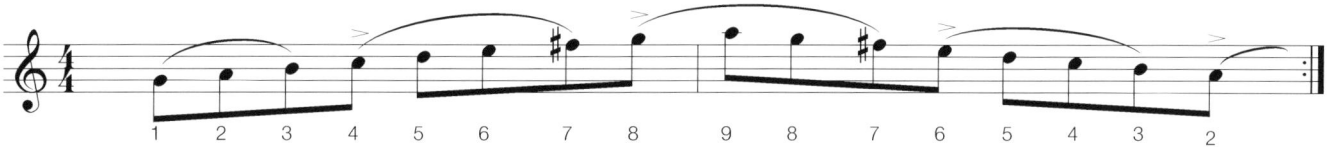

Chromatik – stoßen Sie jeden zweiten Ton an.

Beliebige Akzentuierung.

Akkordübung

Eine gute Übungsreihenfolge könnte so aussehen: Dur, Dominantsept (mixolydisch), Moll (dorisch), dominant-lydisch, lydisch, Ganzton, vermindert, verminderte Ganztonskala. Üben Sie den Übergang von einer Skala zur nächsten wie folgt (verwenden Sie irgendeine der vorgeschlagenen Artikulationsarten oder wechseln Sie jeden dritten Takt).

Einige Musiker, die, wie ich glaube, wesentlich zur Entwicklung der Jazzartikulation beigetragen haben sind: Cannonball Adderley, Sonny Rollins, Phil Woods, Joe Henderson, Freddie Hubbard, Clifford Brown, Miles Davis, John Coltrane, David Liebman, Wes Montgomery, Herbie Hancock, Lee Morgan, Ron Carter, Art Farmer, Lee Konitz, Charlie Parker, Clarke Terry, J.J. Johnson, Slide Hampton, Woody Shaw, Kenny Dorham, McCoy Tyner, Ornette Coleman und Horace Silver. Die Liste könnte man endlos fortsetzen, aber wenn ich mir diese und andere Musiker, die ich hier nicht erwähnt habe, in Erinnerung rufe, muß ich feststellen, daß eine ihrer herausragendsten Eigenschaften ihre Artikulation und deren Verbindung zur Jazztradition ist. Versuchen Sie den Klang in Ihr Ohr zu bekommen!! Sie lernen durch Zuhören weit mehr über Artikulation, als durch Worte. Die Ohren weit aufsperren, ist einer der Hauptschlüssel auf dem Weg zu einem guten Jazzmusiker.

HÖREN bedeutet, spielen zu können. HÖREN ist Freiheit.

Nomenklatur

Da sich Jazzmusiker, Komponisten, Pädagogen und Autoren noch immer nicht auf eine allgemeingültige Schreibweise der Akkord- und Skalensymbole geeinigt haben, sollte sich der Neuling mit den verschiedenen Schreibweisen ein und desselben Skalenklangs vertraut machen.

Hier habe ich die gebräuchlichsten Symbole nach Häufigkeit ihrer Anwendung aufgelistet – von den häufigsten bis zu den am wenigsten verwendeten. Das fettgedruckte Symbol ist immer dasjenige, das ich selbst am häufigsten benutze. Vielleicht ist Ihnen aufgefallen, daß ich für eine(n) C Durakkord/skala sowohl das Symbol C als auch CΔ benutze. Auf diese Weise gewöhnen Sie sich bereits jetzt an verschiedene Schreibweisen.

Δ = Durtonleiter/akkord (CΔ). Eine 7 nach einem Großbuchstaben bedeutet, daß der 7. Ton der Skala um einen Halbton erniedrigt wird und bezeichnet einen Dominantseptakkord. Ein Bindestrich (–) nach einem Großbuchstaben bedeutet, daß Terz und Septime der Skala um einen Halbton erniedrigt werden, was einer Molltonalität entspricht (dorisch Moll) (C–). ø bedeutet halbvermindert (Cø). C–Δ bezeichnet eine(n) Mollskala/akkord mit der großen Septime. –3 bezeichnet drei Halbtonschritte (eine kleine Terz).

(+ oder ♯ = einen Halbton erhöhen, – oder ♭ = einen Halbton erniedrigen)

AKKORD/SKALENTYP	ABGEKÜRZTE AKKORD/SKALENSYMBOLE
DUR (ionisch)*	**C**, **C**Δ, Cmaj7, Cma, Cmaj, Cma7, CM, CM7, Cmaj9, Cmaj13
DOMINANTSEPT (mixolydisch)*	**C7**, C9, C11, C13
MOLLSEPT (dorisch)*	**C–**, C–7, Cmi, Cmi7, Cm7, Cmin, Cmin7, Cm9, Cm11, Cm13
LYDISCH (Durtonleiter mit ♯4)*	**CΔ7+4**, Cmaj+4, CM+4, CΔ+11, CΔ♭5, Cmaj♭5
HALBVERMINDERT (lokrisch)	**Cø**, Cmin7♭5, C–7♭5
HALBVERMINDERT ♯2 (lokrisch ♯2)	**Cø♯2**, Cø+2, Cø9
VERMINDERT (Ganzton/Halbton)	**C°**, Cdim, C°7, Cdim7, C°9
LYDISCH-DOMINANT [MIXO♯11] (Dominantsept mit ♯4)	**C7+4**, C7+11, C7+4, C7♭5, C9+11, C13+11
GANZTON (übermäßig)	**C7+**, C7aug, C7+4+5, C7+5
DOMINANTSEPT ♭9 (verwendet eine verminderte Skala)	**C7♭9**, C7♭9♯9, C13♭9♯9, C13+9+11
VERMINDERT-GANZTON (alteriert)	**C7+9**, C7alt, C7♭9♯9, C7+5+9, C7♭9+4, C7+9+5
LYDISCH-ÜBERMÄSSIG (lydisch mit ♯4 und ♯5)	**CΔ+4+5**, Cmaj7♯5
MELODISCH MOLL (nur aufsteigend)	**C–Δ**, Cmin(maj7), CmiΔ, C–Δ(melodic), Cm6
HARMONISCH MOLL	**C–Δ**, CmiΔ(Har), C–Δ♭6
SUS 4	**G–/C**, Gm7/C, C7sus4, C7sus, C4, C11
BLUESTONLEITER*	Hat kein spezielles Akkordsymbol. Wird meistens in Verbindung mit Dur- und Mollakkorden angewandt.

* Dies sind die gebräuchlichsten Akkorde/Skalen in der westlichen Musik.

Ich glaube an eine reduzierte Akkord/Skalennotation, die es unserer kreativen, natürlichen Seite (der rechten Gehirnhälfte) gestattet, sich ohne ein Gefühl der Einschränkung oder Eingrenzung leiten zu lassen.

Mit Akkordqualität sind die Bezeichnungen Dur, Moll, vermindert etc. gemeint.

In meinen Büchern habe ich versucht, die Notation der Akkorde/Skalen zu standardisieren. Da manche davon bereits vor vielen Jahren erschienen sind, kann es sein, daß in einigen eine andere Notation benutzt wird.

Ich meine, Improvisation braucht so wenig Notation wie möglich, um die tatsächliche Nomenklatur klarer zu machen. Je mehr Ziffern, Buchstaben und Alterationen auf dem Blatt erscheinen, desto mehr muß sich der Musiker auf das Geschriebene konzentrieren und kann das, was er im Kopf hört, nicht mehr so gut umsetzen. Daher glaube ich an ein reduziertes Notationssystem. Und deshalb bevorzuge ich die Symbole C, C7, C-, C°, C7+9, C7♭9. Bedenken Sie, daß wir eine Musikart spielen, die Jazz heißt und viele alterierte Töne enthält. Warum sollten wir sämtliche Alterationen neben das Akkordsymbol schreiben, nachdem wir ja bereits die verschiedenen Alterationen mit den dazugehörigen, abgekürzten Akkordsymbolen gelernt haben? Sehen Sie sich das Skalenverzeichnis genau an! Hören Sie sich Vol. 26 »The Scale Syllabus« an.

Und vergessen Sie nicht: Sekunden entsprechen Nonen, Quarten entsprechen Undezimen. Die 13 entspricht der 6. Beispiel: in C Dur ist die zweite Note dieselbe wie die neunte: ein D. Komponisten schreiben oft den Namen der Skala, die sie bevorzugen, neben das Akkordsymbol, wie z.B. E♭–∆ (melodisch Moll), F–(phrygisch), F–(phry), oder G∆ (Dur-Pentatonik).

Die zwölf Durseptakkorde

Die zwölf Dominantseptakkorde

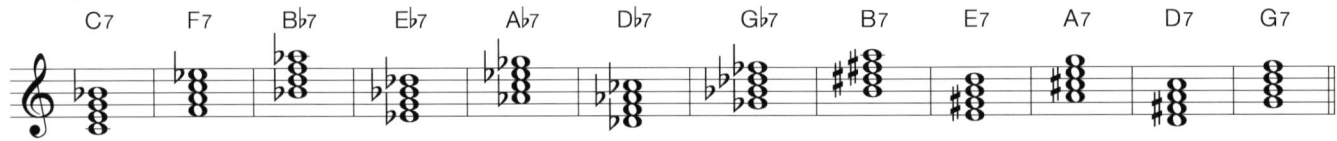

Die zwölf Mollseptakkorde

Die zwölf halbverminderten Akkorde

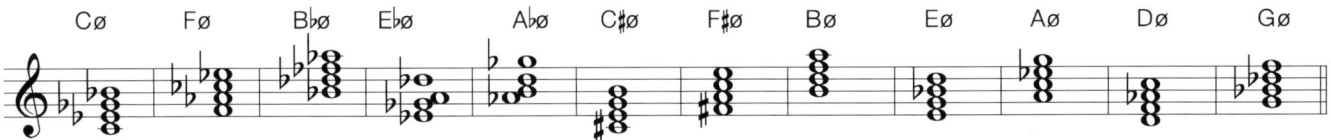

Einleitung zum Skalenverzeichnis

Jedes Akkordsymbol (C7, C–, C° etc.) steht für eine Reihe von Tönen, die der Musiker in seiner Improvisation benutzen kann. Skalen und Akkorde bilden das Rückgrat unserer Musik. Diese Tonreihen nennen wir Tonleitern oder besser »Skalen«. Je vertrauter Sie damit sind, desto mehr Spaß werden Sie beim Spielen der Musik haben.

Dieses Skalenverzeichnis soll dem improvisierenden Musiker eine Auswahl an Skalen bieten, die über jeden Akkord benutzt werden können – Dur, Moll, Dominantsept, halbvermindert und vermindert.

Die westliche Musik, insbesondere Jazz und Pop, bevorzugt Dur-, Dominantsept, dorische Molltonleitern und vor allem die Bluestonleiter. Weniger verwendet werden halbverminderte und verminderte Skalen. Wenn wir diese fünf Skalenfamilien als besonders charakteristisch und gebräuchlich betrachten, können wir sie in Gruppen einteilen und Ersatzskalen zu jeder Hauptskala auflisten (siehe nächste Seite).

Jede Gruppe beginnt mit der Skala, die dem Akkordsymbol (links in der Liste) am ähnlichsten ist. Die Skalen sind nach dem Grad ihrer Dissonanz, die sie zum Klang ihres Grundakkordes erzeugen, geordnet. Die Skalen am Anfang jeder Gruppe hören sich ziemlich wohlklingend (konsonant) an. Hingegen klingen die Skalen gegen Ende der jeweiligen Gruppe zunehmend spannungsgeladener (dissonant). Jeder Spieler sollte unbedingt mit den konsonanten Skalen beginnen, um sich dann durch Übung und Ausprobieren allmählich zu den dissonanten, spannungsgeladenen Skalen am Ende jeder Rubrik vorzuarbeiten. Sie sollten mit Ihrem Instrument an jeder Skala solange arbeiten, bis sich Gehör und Finger an jeden einzelnen Ton gewöhnt haben. Versuchen Sie auch, die Tonleiter zu singen. Improvisieren Sie mit Ihrer Stimme über die Skala, die Sie gerade lernen, und spielen Sie dann das Gesungene auf Ihrem Instrument nach.

Musik besteht aus Spannung und Entspannung. Skalentöne erzeugen Spannung und Entspannung. Die Fähigkeiten des improvisierenden Musikers, Spannung und Entspannung zu kontrollieren, bestimmt in hohem Maße den Grad der Kommunikation, den er mit dem Zuhörer einzugehen vermag. Merken Sie sich – Sie, der Musiker, sind auch ein Zuhörer.

Eine differenzierte Erläuterung bezüglich Spannung und Entspannug innerhalb einer melodischen Entwicklung finden Sie auf den Seiten 53 – 56.

Alle Übungsschritte und Patterns, die in den Heften 1, 2, 3, 21 oder 24 aufgeführt sind, können auch hinsichtlich der Skalenauswahl in diesem Verzeichnis als Lernvorlage übernommen werden. Es erübrigt sich eigentlich zu erwähnen, daß jede Skala, die Sie lernen wollen, auch transponiert und in allen zwölf Tonarten geübt werden sollte. Die Rubrik mit dem Ganz- und Halbtonaufbau, die ich in diesem Verzeichnis für jede Skala aufgeführt habe, wird hilfreich beim Transponieren in die zwölf Tonarten sein.

Auf den Seiten 69 & 70 sind die gebräuchlichsten Skalen in allen Tonarten aufgelistet, und auf Seite 48 die Bluestonleitern.

Wenn Sie Akkordsymbole für Keyboard oder Gitarre schreiben, muß Ihre Notation etwas genauer sein. Vielleicht wollen Sie ja einen bestimmten Ton der Melodie harmonisiert haben. Das können Sie aus meinem Skalenverzeichnis nicht erfahren.

Zusätzliche Informationen über Skalensubstitutionen (Ersatzskalen) bieten folgende Bücher: Dan Haerle – »Scales for Jazz Improvisation«; Jerry Coker – »Patterns For Jazz«, »Complete Method For Jazz Improvisation« David Baker – »Jazz Improvisation« und Yusef Lateef – »Repository Of Scales & Melodic Patterns«.

Die Skalen in dieser Liste sind solche, die von Musikern am häufigsten gespielt werden. Alle Beispiele sind auf C aufgebaut, damit Sie den Aufbau und die Gemeinsamkeiten der Skalen besser untereinander vergleichen können. Sie sollten sie unbedingt in allen zwölf Tonarten aufschreiben und üben.

Einige Tonträger geben Ihnen die Möglichkeit, die verschiedenen Skalen in allen zwölf Tonarten zu üben: Vol. 24 »Major & Minor«, Vol. 21 »Gettin' It Together«, Vol. 16 »Turnarounds, Cycles & II/V7's«, Vol.42 »Blues In All Keys« und Vol. 47 »Rhythm Changes In All Keys«.

Skalenverzeichnis

Akkordsymbol	Skalenbezeichnung	Ganzton-Halbton-Aufbau	Tonleiter in C	Akkord in C
C	Dur	G G H G G G H	C D E F G A B C	C E G B D
C7	Dominantsept (mixolyd.)	G G H G G H G	C D E F G A B♭ C	C E G B♭ D
C–	Moll (dorisch)	G H G G G H G	C D E♭ F G A B♭ C	C E♭ G B♭ D
Cø	Halbvermindert (lokrisch)	H G G H G G G	C D♭ E♭ F G♭ A♭ B♭ C	C E♭ G♭ B♭
Co	Vermindert (8ton Skala)	G H G H G H G	C D E♭ F G♭ A♭ A B C	C E♭ G♭ A (B♭)
Dur Skalenauswahl				
CΔ	Dur (nicht die 4 betonen)	G G H G G G H	C D E F G A B C	C E G B D
C	Dur Pentatonik	G G –3 G –3	C D E G A C	C E G B D
CΔ+4	Lydisch (Dur mit +4)	G G G H G G H	C D E F♯ G A B C	C E G B D
CΔ	Bebop (Dur)	G G H G H H G H	C D E F G G♯ A B C	C E G B D
CΔ♭6	Harmonisch Dur	G G H G H –3 H	C D E F G A♭ B C	C E G B D
CΔ+5+4	Lydisch übermäßig	G G G G H G H	C D E F♯ G♯ A B C	C E G♯ B D
C	Übermäßig	–3 H –3 H –3 H	C D♯ E G A♭ B C	C E G B D
C	6. Modus von Harmonisch Dur	–3 H G H G G H	C D♯ E F♯ G A B C	C E G B D
C	Vermindert (beginnend mit einem Halbton)	H G H G H G H G	C D♭ D♯ E F♯ G A B♭ C	C E G B D
C	Bluesskala	–3 G H H –3 G	C E♭ F F♯ G B♭ C	C E G B D
Dominantsept-Skalenauswahl				
C7	Mixolydisch	G G H G G H G	C D E F G A B♭ C	C E G B♭ D
C7	Dur Pentatonik	G G –3 G –3	C D E G A C	C E G B♭ D
C7	Bebop (Dominant)	G G H G G H H H	C D E F G A B♭ B C	C E G B♭ D
C7♭9	Spanische oder Jüdische Skala	H –3 H G H G G	C D♭ E F G A♭ B♭ C	C E G B♭ (D♭)
C7+4	Lydisch-Dominant	G G G H G H G	C D E F♯ G A B♭ C	C E G B♭ D
C7♭6	Hindu	G G H G H G G	C D E F G A♭ B♭ C	C E G B♭ D
C7+ (mit +4 u. +5)	Ganztonskala	G G G G G G	C D E F♯ G♯ B♭ C	C E G♯ B♭ D
C7♭9 (mit +9 u. +4)	Halbton-Ganzton	H G H G H G H G	C D♭ E♭ E F♯ G A B♭ C	C E G B♭ D♭ (D♯)
C7+9 (mit ♭9, +4 u. +5)	Verminderte Ganzton	H G H G G G G	C D♭ E♭ E F♯ G♯ B♭ C	C E G♯ B♭ D♯ (D♭)
C7	Bluesskala	–3 G H H –3 G	C E♭ F F♯ G B♭ C	C E G B D
Dominantsept sus 4				
C7sus4 oder G–/C	Mixolydisch (nicht die Terz betonen)	G –3 G G H G	C D E F G A B♭ C	C F G B♭ D
C7sus4 oder G–/C	Dur Pentatonik (auf der Septime aufgebaut)	G G –3 G –3	B♭ C D F G B♭	C F G B♭ D
C7sus4 oder G–/C	Bebopskala	G G H G G H H H	C D E F G A B♭ B C	C F G B♭ D
Mollskalen				
C– oder C–7	Dorisch	G H G G G H G	C D E♭ F G A B♭ C	C E♭ G B♭ D
C– oder C–7	Moll Pentatonik	–3 G G –3 G	C E♭ F G B♭ C	C E♭ G B♭ D
C– oder C–7	Bebop Moll	G H H H G G H G	C D E♭ E F G A B♭ C	C E♭ G B♭ D
C–Δ7 (große Sept)	Melodisch Moll	G H G G G G H	C D E♭ F G A B C	C E♭ G B D
C– oder C–6 oder C–Δ	Bebop Moll Nr. 2	G H G G H H G H	C D E♭ F G G♯ A B C	C E♭ G B D
C– oder C–7	Bluesskala	–3 G H H –3 G	C E♭ F F♯ G B♭ C	C E♭ G B♭ D
C–Δ (♭6 u. große Sept)	Harmonisch Moll	G H G G H –3 H	C D E♭ F G A♭ B C	C E♭ G B D
C– oder C–7	Vermindert	G H G H G H G H	C D E♭ F F♯ G♯ A B C	C E♭ G B D
C– oder C–♭9♭6	Phrygisch	H G G G H G G	C D♭ E♭ F G A♭ B♭ C	C E♭ G B♭
C– oder C–♭6	Aeolisch	G H G G H G G	C D E♭ F G A♭ B♭ C	C E♭ G B♭ D

Halbverminderte Skalenauswahl

Cø	Lokrisch	H G G H G G G	C D♭ E♭ F G♭ A♭ B♭ C	C E♭ G♭ B♭
Cø♯2 (Cø9)	Lokrisch ♯2	G H G H G G G	C D E♭ F G♭ A♭ B♭ C	C E♭ G♭ B♭ D
Cø	Bebopskala	H G G H H H G G	C D♭ E♭ F G♭ G A♭ B♭ C	C E♭ G♭ B♭

Verminderte Skalenauswahl

Co	Vermindert	G H G H G H G	C D E♭ F G♭ A♭ A B C	C E♭ G♭ A

H = Halbtonschritt
G = Ganztonschritt
–3 = 3 Halbtonschritte (kleine Terz)
♭ = erniedrigt die betreffende Note um einen Halbton
♯ oder + = erhöht die betreffende Note um einen Halbton
– = Moll
Δ = Dur mit großer Septime
ø = Halbvermindert
o = Vermindert
Anmerkung: Das englische B entspricht dem deutschen H

Anmerkung: Die o.g. Akkordsymbole beziehen sich auf mein Notationssystem. Meiner Meinung nach repräsentieren sie die Klänge die ich im Jazz höre, am besten. Der Musiker sollte sich darüber im Klaren sein, daß jedes Akkordsymbol eine Anzahl von Tönen darstellt, die zusammen Skala genannt werden. Obwohl es den Anschein hat, als ob C7+9 nur eine erhöhte None hat, schließt der Akkord auch eine ♭9, +4 und +5 mit ein. Die vollständige C7+9-Skala würde wie folgt aussehen: 1, ♭9, +9, 3, +4, +5, ♭7, 8 (C, D♭, D♯, E, F♯, G♯, B♭, C). Die Abkürzung meines Akkordsymbols lautet C7+9, und die Skala wird »verminderte Ganztonskala« manchmal auch »superlokrische« bzw. »alterierte Skala« genannt.

C7♭9 scheint nur einen alterierten Ton (♭9) aufzuweisen, hat in Wirklichkeit jedoch drei: ♭9, +9 und +4. Die vollständige Skala sieht wie folgt aus: 1, ♭9, +9, 3, +4, 5, 6, ♭7 und 8 (C, D♭, D♯, E, F♯, G, A, B♭, C). Das ganze wird »verminderte Skala« genannt und meine Abkürzung für das dazugehörige Akkordsymbol ist C7♭9. Alle Skalen in der Rubrik der Dominantseptakkorde sind solche, die den Grundklang des Dominantseptakkordes erweitern. Manche Skalen erzeugen bedeutend mehr Spannung als der Klang eines einfachen Dominantseptakkordes und erfordern Übung und Geduld, um das Wesen ihrer musikalischen Bedeutung zu erfassen.

Ich schlage vor, besonders intensiv mit den ersten Titeln von Vol. 3 »Die II-V7-I Verbindung« zu arbeiten, da sie sowohl den Akzent auf verminderte Ganztonskalen und Akkorde als auch auf verminderte Skalen und Akkorde legt.

In der Kategorie der Mollskalen ist Aeolisch nicht so gebräuchlich. Meiner Meinung nach geht die Häufigkeit der Anwendung von dorisch, Bebop, melodisch, Blues nach pentatonisch. Erst dann kommen die restlichen Mollskalen.

Verzeichnis der Dominantseptskalen

Die beiden wichtigsten Töne jeder Tonleiter sind die Terz und die Septime. Sie bestimmen die Akkordqualität und die harmonische Bewegung. Die Terz sagt uns, ob es sich um Dur oder Moll handelt. Die Septime sagt uns, ob der Klang statisch ist (sich also nicht zu einem anderen Akkord bewegen will), oder ob er sich zu einem anderen Akkord auflösen will. Dominanten wollen sich charakteristischerweise eine Quarte nach oben auflösen (C7 nach F, F–, F7 etc.). Der Grundton bzw. die Tonika versteht sich von selbst. Ohne Grundton könnten wir den Klang erst gar nicht identifizieren.

Sobald sich ein(e) Dominantseptakkord/Skala nach einem/einer Akkord/Skala auflöst, deren/dessen Grundton eine Quarte (5 Halbtonschritte) über dem Grundton des Dominantseptakkords liegt, können die nachfolgenden Skalen (Qualitäten/Klänge) gespielt werden.

BEISPIEL: |C7 |C7 |F |F |A♭7 |A♭7 |D♭– |D♭– |

Verzieren Sie die Takte: C7 und A♭7

Die alterierten Töne sind fettgedruckt. Sie lösen sich normalerweise um einen Halbtonschritt zu einem Akkord-oder Skalenton auf, was dem Prinzip von Spannung und Entspannung entspricht, einem natürlichen Prozeß in der Musik. Terzen und Septimen sind unterstrichen.

MIXOLYDISCH = C7 = C D E F G A B♭ C

Dies ist der elementare Dominantseptklang. Vorsicht im Umgang mit dem 4.Ton. Er sollte als Durchgangston gespielt werden.

BEBOP = C7 = C D E F G A B♭ **B** C

Spielen Sie das B als Durchgangston. Es sollte immer auf »und« gespielt werden, niemals auf dem Schlag.

LYDISCH-DOMINANT = C7♯4 = C D E **F♯** G A B♭ C

Die ♯4 war/ist ein häufig gespielter Ton. Früher nannte man ihn ♭5.

GANZTON = C7+ = C D E **F♯ G♯** B♭ C

Diese Skala besteht lediglich aus sechs Tönen. Es handelt sich um eine symmetrische Skala, die man häufig bei Ravel und Debussy, aber auch in Zeichentrickfilmen hört.

VERMINDERT = C7♭9 = C **D♭ E♭** E **F♯** G A B♭ C

Diese Skala enthält 8 verschiedene Töne. Sie ist symmetrisch und ebenfalls oft in Zeichentrickfilmen zu hören. Michael Brecker ist ein Meister dieses Skalensounds.

ALTERIERT = C7+9 = C **D♭ E♭** E **F♯ G♯** B♭ C

Diese Skala enthält 4 alterierte Töne, die sehr viel Spannung erzeugen.

SPANISCHE oder **JÜDISCHE SKALA** = C7♭9 = C **D♭** E F G **A♭** B♭ C

Diese Skala wird oft in Molltonarten gespielt. Sie entspricht F harmonisch Moll.

CHROMATISCHE TONLEITER = C **D♭** D **E♭** E F **F♯** G **G♯** A B♭ **B** C

(Das musikalische Alphabet)

Experimentieren Sie mit diesen Skalen über den Titel »Cycle of Dominant 7th Chords« auf der Aufnahme. Der richtige Gebrauch dieser Skalen trägt wesentlich zur Attraktivität des Jazz bei. Für einen Meister sind die Möglichkeiten, damit gute Musik zu machen, endlos. Haben Sie keine Angst davor, diese Klänge auszuprobieren. Es kann eine Weile dauern, bis Sie sich an den Klang und die Fingersätze gewöhnt haben. In »Patterns For Jazz« finden Sie viele Phrasen, die auf obigen Skalen basieren.

SKALEN IM VIOLINSCHLÜSSEL

Jede Skala wurde vom Grundton bis zur None in allen zwölf Tonarten notiert. Die ausgefüllten Noten sind die Akkordtöne: Grundton, Terz, Quinte, Septime und None.

Die ionischen Tonleitern

Die mixolydischen Tonleitern

Die dorischen Tonleitern

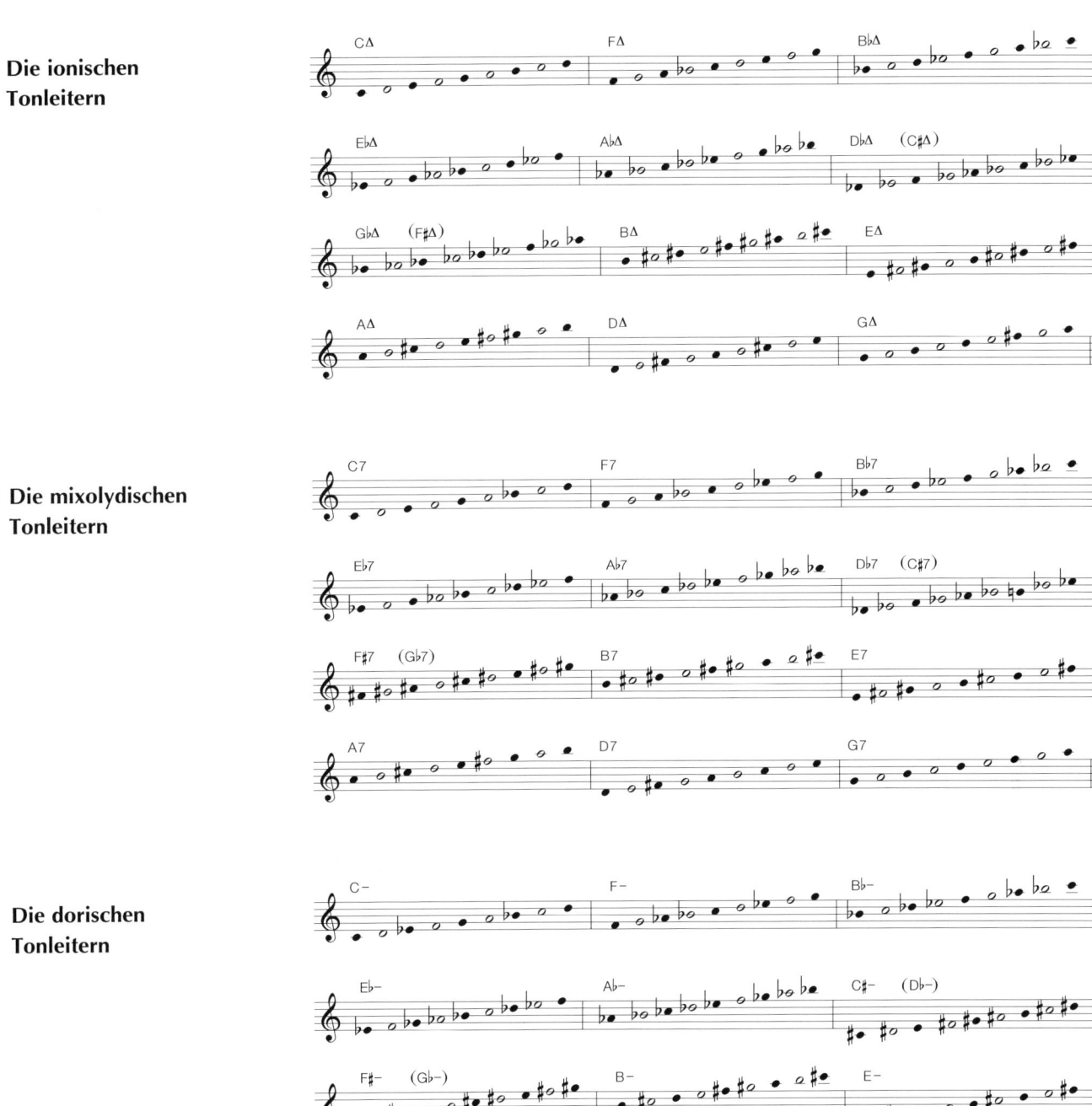

Die verminderten Ganztonleitern (auch »alteriert« o. »superlokrisch«)

Die halbverminderten Tonleitern

Die Ganztonleitern (übermäßig)

Es gibt nur zwei Ganztonleitern

Die verminderten Tonleitern

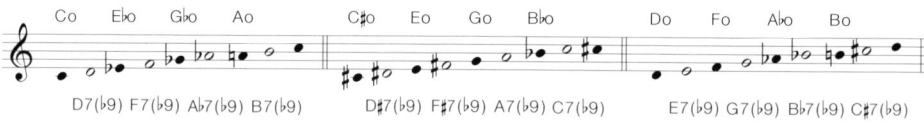

Es gibt nur drei verminderte Tonleitern

Skalen im Baßschlüssel

Jede Skala wurde vom Grundton bis zur None in allen zwölf Tonarten notiert. Die ausgefüllten Noten sind die Akkordtöne: Grundton, Terz, Quinte, Septime und None.

Die ionischen Tonleitern

Die mixolydischen Tonleitern

Die dorischen Tonleitern

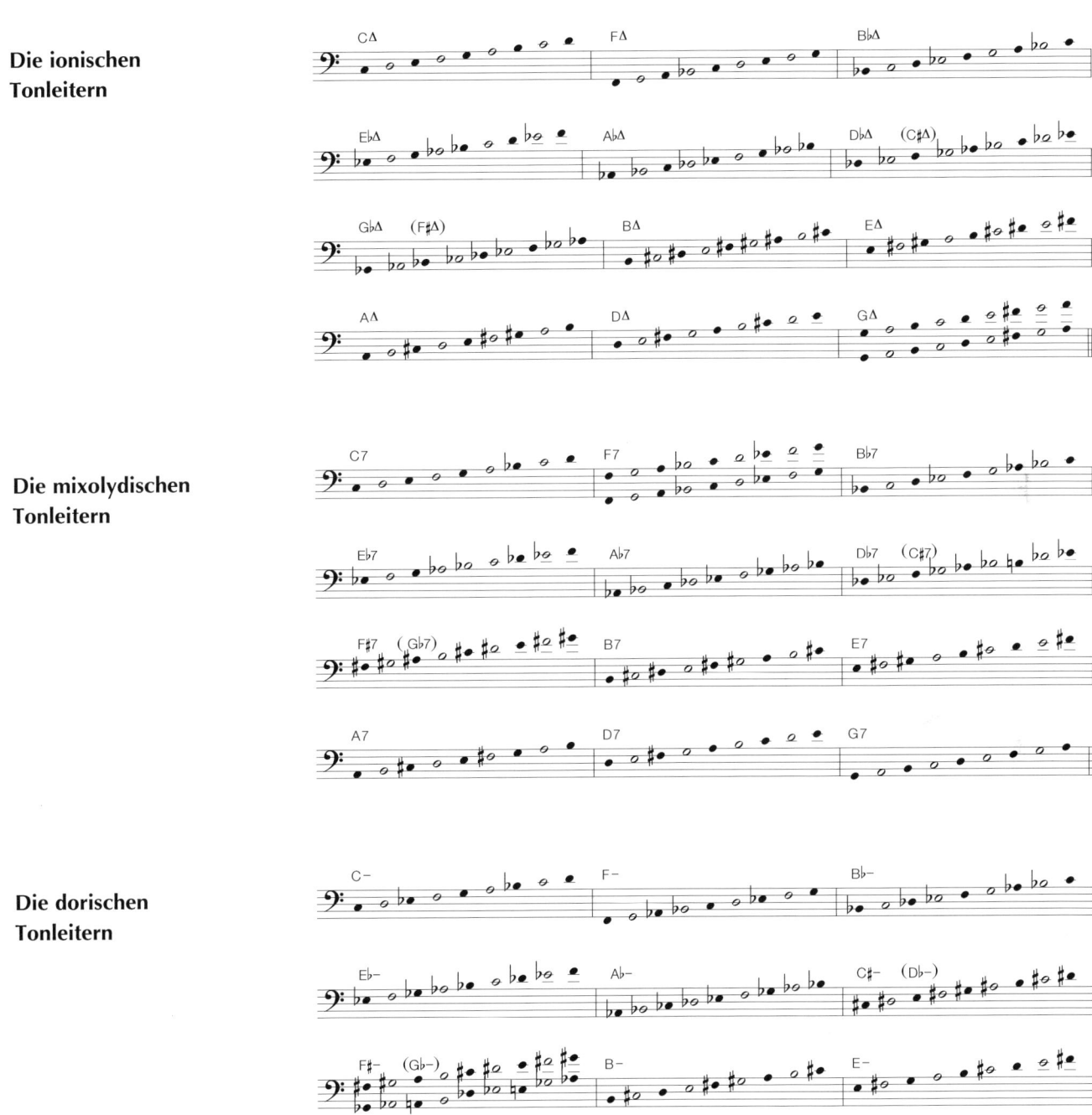

Die verminderten Ganztonleitern
(auch »alteriert« o. »superlokrisch«)

Die halbverminderten Tonleitern

Die Ganztonleitern (übermäßig)

Es gibt nur zwei Ganztonleitern

Die verminderten Tonleitern

Es gibt nur drei verminderte Tonleitern

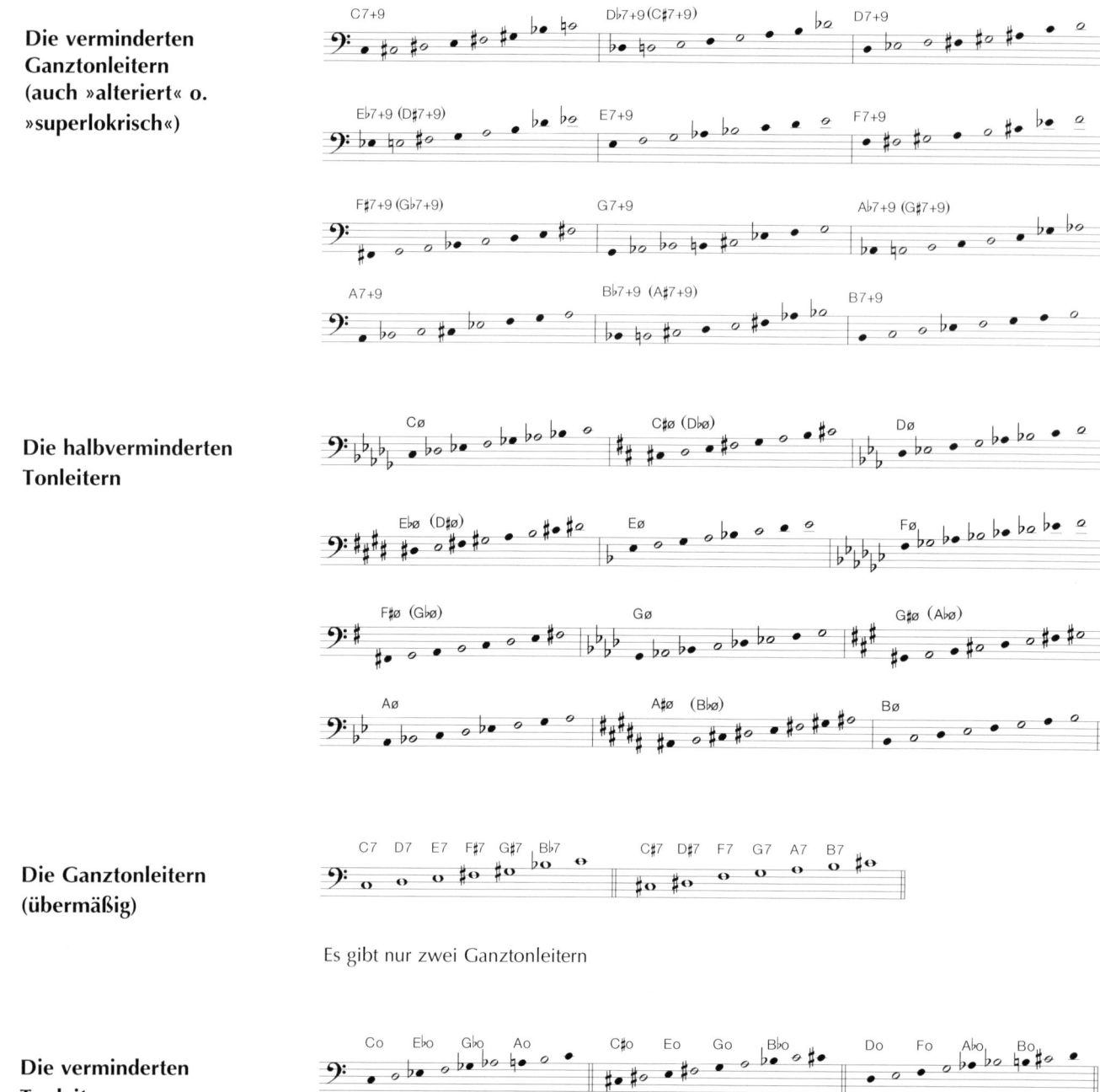

REPERTOIRE-LISTE FÜR EINSTEIGER

Nachfolgend eine Liste von Stücken, die jeder kennen sollte. Sie werden häufig bei Jam Sessions gespielt. Neben dem Titel habe ich Tonart und Nummer der Play-Along-CDs aufgeführt, auf denen sie zu finden sind. Die meisten, für Anfänger geeigneten Stücke sind auf Vol. 54 »Maiden Voyage«, das sich besonders gut für das Erlernen von Jam-Session-Stücken eignet.

Leichte Stücke:

Blues in B♭ & F (1, 2, 21, 35, 42, 50, 53, 54)
Footprints, C– (33, 54)
Satin Doll, C (12, 54)
Doxy, B♭ (8, 54)
Autumn Leaves, G– (20, 44, 54, 67)
Impressions oder So What, D– (27, 50, 54)
Summertime, D– (25, 54)
Blue Bossa, C– (38, 54)
New Bossa, C– (70)
Song for My Father, F– (17, 54)
Maiden Voyage, A– (11, 54)
Silver's Serenade, E– (17)
Cantaloupe Island, F– (11, 54)
Sugar [genannt Groovitis], C– (5, 49, 70)
Watermelon Man, F (11, 54)
Killer Joe, C (10)

Mittelschwere Stücke:

Four, E♭ (7, 67)
Perdido, B♭
All Blues, G (50)
Groovin' High, E♭ (43)
Yardbird Suite, C (6)
Softly As In A Morning Sunrise, C– (40)
On Green Dolphin Street, E♭ (34)
Misty, E♭ (41, 49, 70)
Just Friends, F (20, 34)

Schwere Stücke:

Stella By Starlight, B♭ oder G (15, 22, 68)
Star Eyes, E♭ (34)
Invitation, C– (34)
Have You Met Miss Jones?, F (25)
I Got Rhythm, B♭ und F (7, 8, 16, 47, 51, 67)
Giant Steps, E♭ (28, 68)
Joy Spring, F (16, 53)
All The Things You Are, A♭ (43)

Die meisten Balladen sowie Stücke von Wayne Shorter, Horace Silver, John Coltrane, Benny Golson und Tausende anderer Stücke.

Lernen Sie Melodie, Akkordfolge und dazugehörige Skalen auswendig!

Seien Sie anspruchsvoll, was Ihre Hörgewohnheiten betrifft. Denken Sie daran, daß Sie Ihren GEIST trainieren! Suchen Sie sich Ihre Musikstücke so sorgfältig aus wie Ihre Freunde.

Viele Ihrer Freunde erkennen Sie am Telefon wahrscheinlich bereits nach einem Wort. Die Qualitäten (Dur, Moll, Dominantsept, vermindert etc.) werden Ihnen mit einiger Übung bald genauso vertraut sein.

Wie man ein Stück lernt

- Hören Sie sich eine Aufnahme des Stückes an – immer und immer wieder.
- Merken Sie sich die Melodie. Sie sollten sie singen können.
- Hören Sie genau auf die Baßlinie. Versuchen Sie, ein Gespür für den Verlauf des Stücks zu bekommen.
- Versuchen Sie, die Melodie langsam auswendig zu spielen.
- Versuchen Sie dann, die Melodie mit der Aufnahme mitzuspielen. Kopieren Sie die verschiedenen Inflektionen, Artikulationen, Bindungen, Phrasierungen, die Dynamik etc.
- Lernen Sie die Skalen und Akkorde in der Reihenfolge, wie sie im Stück erscheinen. Überzeugen Sie sich von der Richtigkeit der Akkordfolgen. Benutzen Sie eine verläßliche Quelle (wie die Play-Along-Bücher).
- Improvisieren Sie über die Harmoniefolgen, indem Sie die ursprüngliche Melodie als Bezugs- und Orientierungspunkt nehmen.
- Betonen Sie in Ihren Soli die Terzen und Septimen der Skalen.
- Lernen Sie die Melodie und die Akkorde/Skalen auswendig, falls noch nicht geschehen. Merken Sie sich, wo auf Ihrem Instrument die Akkordtöne liegen.
- Improvisieren Sie Ihre eigenen Melodien. Sie müssen die jeweiligen Töne, Phrasierungen, Rhythmen und Artikulationen etc. vorher im Kopf haben.
- Hören Sie sich weiterhin das Original an, um sich davon inspirieren zu lassen. Bauen Sie Ideen von der Originalaufnahme in Ihre Soli ein.
- Lernen Sie den Text eines Stücks (falls es einen gibt). Singen Sie beim Spielen der Melodie in Gedanken den Text mit.
- Verlieben Sie sich in die Themen der Stücke. Spielen Sie sie, als wären es IHRE Stücke.

Bitte eines Musikstudenten

- Zeig mir, wie ich mein Instrument spielen muß.
- Zeig mir, wie man einen guten Sound bekommt.
- Zeig mir, wie man vom Blatt spielt.
- Zeig mir, wie man gut intoniert.
- Zeig mir, wie man Musik hört und wahrnimmt.
- Zeig mir, wie ich üben soll.
- Zeig mir, wie man Musik hört und beurteilt.
- Zeig mir, wie man mit anderen zusammenspielt.
- Bring mir Theorie, Harmonielehre und Komposition bei.
- Zeig mir, wie ich meine Phantasie benutzen und meine eigene Kreativität entwickeln kann.
- Vor allem aber vergiß nicht, mir zu zeigen, wie ich meine eigene Musik machen kann. Denn erst dann wird die Musik zu einem Teil meiner selbst.

Es wird Zeit, daß die Pädagogen in der Musikerziehung die Notwendigkeit erkennen, Phantasie und Kreativität in ihren Unterricht einfließen zu lassen. Das gilt sowohl für die Musikschulen als auch für den Privatunterricht. Wir haben die Musikschüler und -studenten lange genug über's Ohr gehauen.

Liste von Standards

Diese Stücke sind »das Beste vom Besten«. Sie sind unentbehrlich für Jam Sessions oder gelegentliche *Gigs*. Viele davon sind in den Aebersold Play-Along-Büchern oder sogenannten *Fake Books* zu finden (siehe Register auf S. 134-135).

Jazz Standards
All the Things You Are
Days of Wine and Roses
How High the Moon
I Love You
I Remember You
I'll Remember April
I'm Getting Sentimental Over You
In a Mellow Tone
Invitation
It's You or No One
Just Friends
My Romance
On Green Dolphin Street
Out of Nowhere
Satin Doll
Star Eyes
Stella by Starlight
Take the "A" Train
The End of a Love Affair
There Will Never Be Another You
What Is This Thing Called Love
What's New
You Stepped Out of a Dream

Balladen
Blue 'n Green
Body and Soul
But Beautiful
Coral
Crystal Silence
Fall
Here's That Rainy Day
I Can't Get Started
I Got It Bad
I Remember Clifford
In a Sentimental Mood
Infant Eyes
It Could Happen to You
Lament
Lover Man
Lush Life
Misty
My Foolish Heart
My Funny Valentine
Naima
Peace
Prelude to a Kiss
Round Midnight

Search for Peace
Sophisticated Lady
Summertime
When I Fall in Love
When Sunny Gets Blue
Yesterdays

Blues
Au Privave
Bag's Groove
Barbados
Bass Blues
Bessie's Blues
Billie's Bounce
Blue Monk
Blue Seven
Blue Train
Blues by Five
Blues for Alice
Cousin Mary
Dr. Jackel
Equinox
Freddie the Freeloader
Isotope
Israel
Mr. P.C.
Now's the Time
Some Other Blues
Sonnymoon for Two
Straight, No Chaser
Traneing In
Vierd Blues
Walkin'

Bossa Novas
500 Miles High
Blue Bossa
Carnival
Ceora
Coral Keys
Desafinado
Girl From Ipanema
How Insensitive
Meditation
O Grand Amor
Once I Loved
Pensativa
Quiet Nights of Quiet Stars
Recorda Me
Song For My Father
The Red Blouse
The Shadow of Your Smile

Triste
Watch What Happens
Wave

Jazz Originals
Con Alma
Dolphin Dance
E.S.P.
Falling Grace
Forest Flower
Fortune Smiles
Freedom Jazz Dance
Molten Glass
Nefertiti
Seven Steps to Heaven
Shades of Light

Bebop Stücke
(II-V-I orientiert)
A Night in Tunisia
Afternoon in Paris
Airegin
Along Came Betty
Anthropology
Cherokee
Confirmation
Countdown
Daahoud
Donna Lee
Doxy
Four
Giant Steps
Grand Central
Groovin' High
Half Nelson
Have You Met Miss Jones
Jeanine
Jordu
Joy Spring
Killer Joe
Lazy Bird
Moment's Notice
Nardis
Nica's Dream
Oleo
Ornithology
Scrapple From the Apple
Softly As In a Morning Sunrise
Solar
Stablemates
Tune Up
Well, You Needn't

Whisper Not
Woody 'n You
Yardbird Suite

Sambas
Captain Marvel
One Note Samba
Spain
St. Thomas

Modale Stücke
All Blues
Atlantis
Cantaloupe Island
Flamenco Sketches
Hummin'
Impressions
Joshua
Las Vegas Tango
Little Sunflower
Maiden Voyage
Milestones (neu)
Nutville
Pendulum
So What
Straight Life
Witch Hunt

Walzer
Alice In Wonderland
A Child Is Born
All Blues
Beautiful Love
Black Narcissus
Blue Daniel
Bluesette
Elsa
Floating
Fly Me to the Moon
Footprints
La Fiesta
My Favorite Things
Someday My Prince Will Come
Tenderly
Up Jumped Spring
Valse Hot
Very Early
Waltz For Debbie
West Coast Blues
What Was
Windows

PLATTENEMPFEHLUNGEN

Hören ist eines der wichtigsten Elemente beim Lernen und Spielen von Jazzmusik. In der gesamten Musikgeschichte fungiert das Gehör als bester Lehrer und bestes Lernmittel. Die nachfolgende Liste stellt eine kleine, aber wichtige Auswahl der auf Platten dokumentierten Jazzgeschichte dar. Ich habe lediglich die Schallplattennummern angeführt, obwohl Vieles auch auf CD und Kassette erhältlich ist. Die meisten dieser Aufnahmen, und noch viele mehr, können bezogen werden über:

»Double Time« Jazz, P.O.Box 1244, New Albany, IN 47150, U.S.A.

Künstler	Album	Label
Cannonball Adderley	Something Else	Blue Note
	The Dreamweavers (mit Coltrane)	Suite Beat
Chet Baker	Live At The Montmartre	SteepleChase
Art Blakey	Jazz Messengers	CBS
Clifford Brown	Study in Brown	Emarcy
John Coltrane	Ballads	MCA/Impulse
	Duke Ellington & John Coltrane	MCA/Impulse
	Blue Train	Blue Note
	Lush Life	Prestige
Chick Corea	Now He Sings, Now He Sobs	Blue Note
Miles Davis	The Complete Prestige Recordings	Prestige
	Kind of Blue	CBS
	Miles Davis in Europe	CBS
	Round About Midnight	CBS
	My Funny Valentine	CBS
	Milestones	CBS
	Miles in Berlin	CBS
	Cookin' At The Plugged Nickel	CBS
Duke Ellington	The Ellington Suites	Pablo
	Blues in Orbit	CBS
	At Newport	CBS
	The Private Collection (5 CD's)	WEA
Bill Evans	Explorations	Riverside
	At The Village Vanguard	Riverside
Stan Getz/J.J. Johnson	At The Opera House	Verve
Dizzy Gillespie	Sonny Side Up	Verve
Herbie Hancock	Maiden Voyage	Blue Note
	Speak Like A Child	Blue Note
Joe Henderson	Lush Life	Verve
Freddie Hubbard	Ready For Freddie	Blue Note
J.J. Johnson	The Eminent J.J.	Blue Note
McCoy Tyner	The Real McCoy	Blue Note
Thelonious Monk	The Composer	CBS
Charlie Parker	Jazz At Massey Hall	Debut
	Bird/The Savoy Recordings	Savoy
	Complete Dial Recordings	Warner
	The Verve Years	Verve
Sonny Rollins	The Bridge	RCA
	Saxophone Colossus	Prestige
Wayne Shorter	Speak No Evil	Blue Note
Horace Silver	Song for My Father	Blue Note
	The Cap Verdean Blues	Blue Note

Antworten finden Sie durch ZUHÖREN. Plattenaufnahmen enthalten ALLE Antworten.

Vol. 1 Anhang

Vorbereitende Übungen mit zehn grundlegenden Patterns

Akkordprogressionen zu Vol. 1 und Übungen
für C-, B♭-, E♭- und Instrumente im Baßschlüssel notiert.

ZEHN GRUNDLEGENDE PATTERNS

Unten sind einige Übungen, die jeder Musiker auswendig in allen Dur-, Molltonarten und Dominantseptakkorden/Skalen können sollte. Es sind fundamentale Übungen, die Ihnen helfen werden, Geläufigkeit und Geschicklichkeit zu erlangen. Fangen Sie langsam an und steigern Sie allmählich das Tempo. Versuchen Sie so gleichmäßig als möglich zu spielen. Binden Sie alle Übungen – auch Pianisten und Saiteninstrumentalisten. Sehen Sie noch einmal im Kapitel über die Artikulation nach, sobald Sie ein Gefühl für die Übungen bekommen haben. Diese Übungen eignen sich hervorragend zum täglichen Einspielen. Sie können sie natürlich auch auf jede andere Skala übertragen, gleichgültig welchen Charakter sie hat. Aus Platzgründen habe ich nur drei Arten aufgelistet.

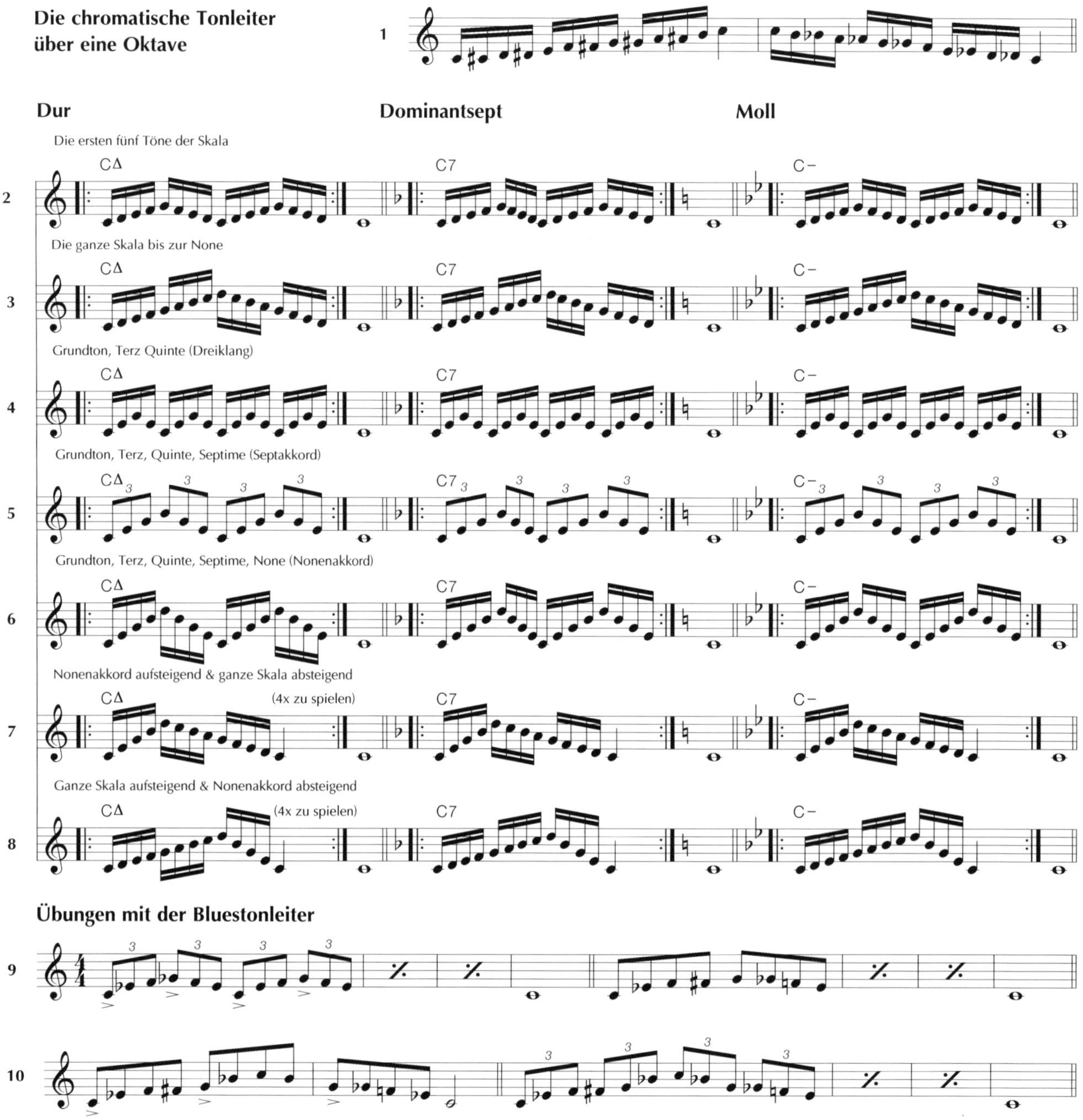
Die chromatische Tonleiter über eine Oktave
1
Dur
Dominantsept
Moll
Die ersten fünf Töne der Skala
2
CΔ
C7
C–
Die ganze Skala bis zur None
3
Grundton, Terz Quinte (Dreiklang)
4
Grundton, Terz, Quinte, Septime (Septakkord)
5
Grundton, Terz, Quinte, Septime, None (Nonenakkord)
6
Nonenakkord aufsteigend & ganze Skala absteigend
7
(4x zu spielen)
Ganze Skala aufsteigend & Nonenakkord absteigend
8
(4x zu spielen)
Übungen mit der Bluestonleiter
9
10

Zehn grundlegende Patterns

Unten sind einige Übungen, die jeder Musiker auswendig in allen Dur-, Molltonarten und Dominantseptakkorden/Skalen können sollte. Es sind fundamentale Übungen, die Ihnen helfen werden, Geläufigkeit und Geschicklichkeit zu erlangen. Fangen Sie langsam an und steigern Sie allmählich das Tempo. Versuchen Sie so gleichmäßig als möglich zu spielen. Binden Sie alle Übungen – auch Pianisten und Saiteninstrumentalisten. Sehen Sie noch einmal im Kapitel über die Artikulation nach, sobald Sie ein Gefühl für die Übungen bekommen haben. Diese Übungen eignen sich hervorragend zum täglichen Einspielen. Sie können sie natürlich auch auf jede andere Skala übertragen, gleichgültig welchen Charakter sie hat. Aus Platzgründen habe ich nur drei Arten aufgelistet.

Die chromatische Tonleiter über eine Oktave

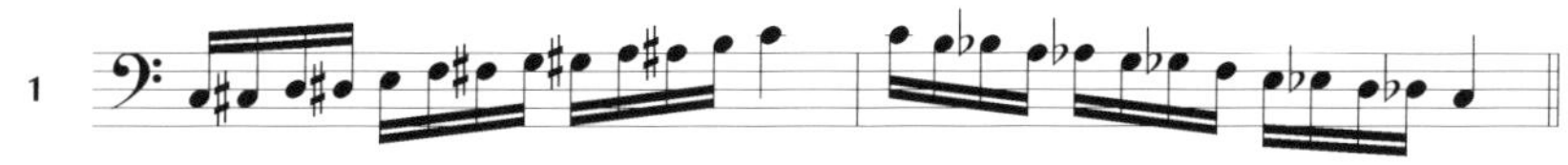
1

Dur **Dominantsept** **Moll**

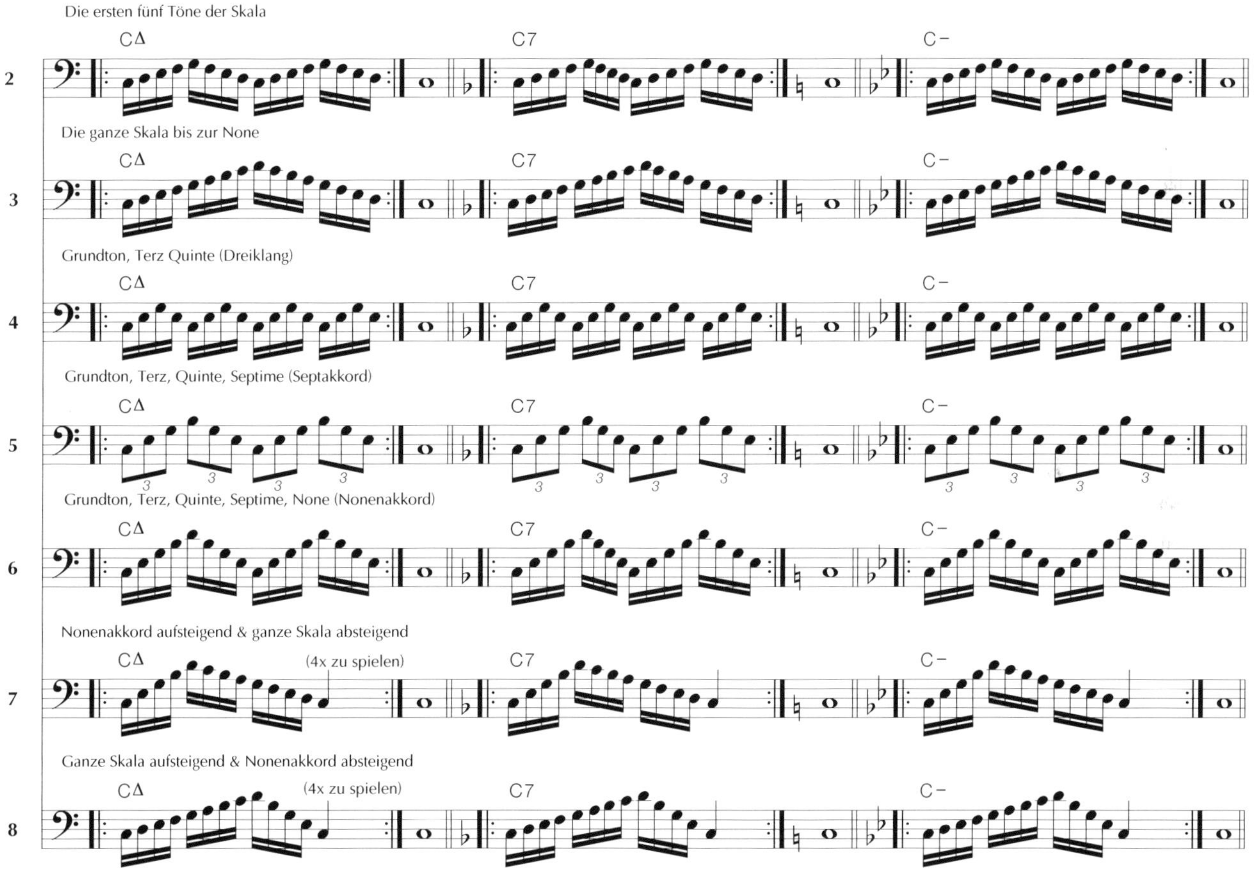
Die ersten fünf Töne der Skala
CΔ
C7
C−
2
Die ganze Skala bis zur None
CΔ
C7
C−
3
Grundton, Terz Quinte (Dreiklang)
CΔ
C7
C−
4
Grundton, Terz, Quinte, Septime (Septakkord)
CΔ
C7
C−
5
Grundton, Terz, Quinte, Septime, None (Nonenakkord)
CΔ
C7
C−
6
Nonenakkord aufsteigend & ganze Skala absteigend
CΔ
(4x zu spielen)
C7
C−
7
Ganze Skala aufsteigend & Nonenakkord absteigend
CΔ
(4x zu spielen)
C7
C−
8

Übungen mit der Bluestonleiter

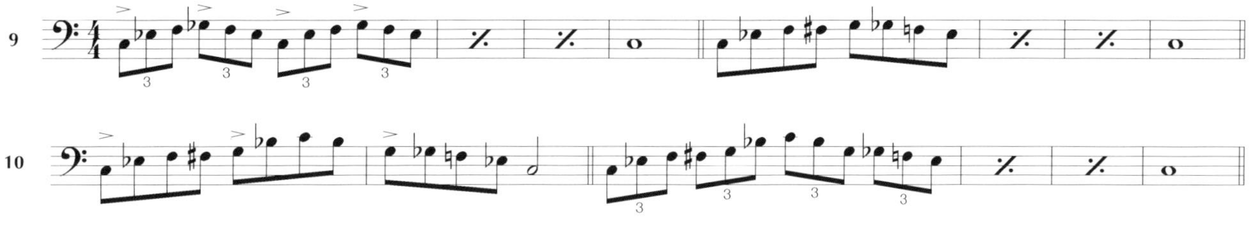
9
10

AKKORDFOLGEN FÜR C INSTRUMENTE

Die große Ziffer unter jeder Skala zeigt an, wieviel Takte der Akkord bzw. die Skala gespielt wird. Jeder Schrägstrich (∕) symbolisiert einen Schlag.

CD Track 2   F–, E♭–, D– – achttaktige Phrasen (4 x gespielt)

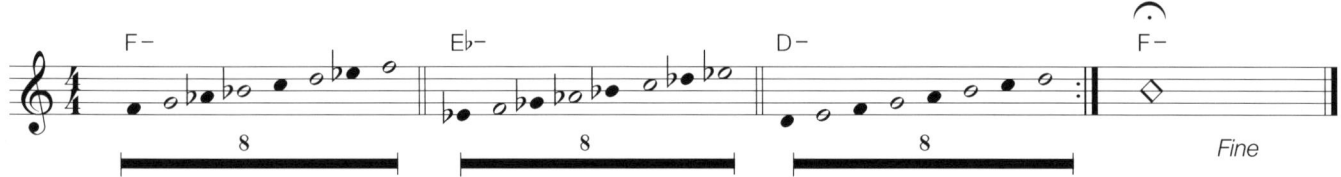

CD Track 3   F–, E♭–, D– – viertaktige Phrasen (9 x gespielt)

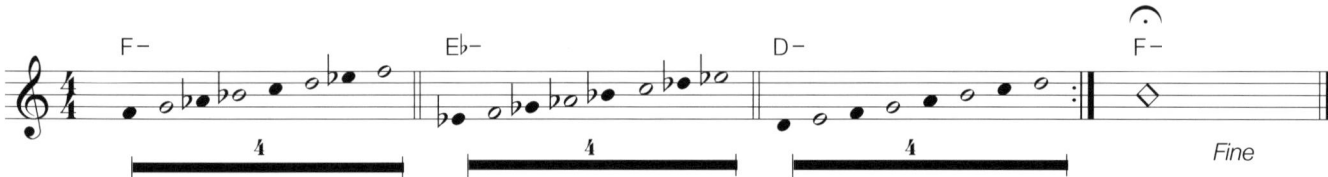

CD Track 4   Beliebige Mollakkorde/Skalen – achttaktige Phrasen (3 x gespielt)

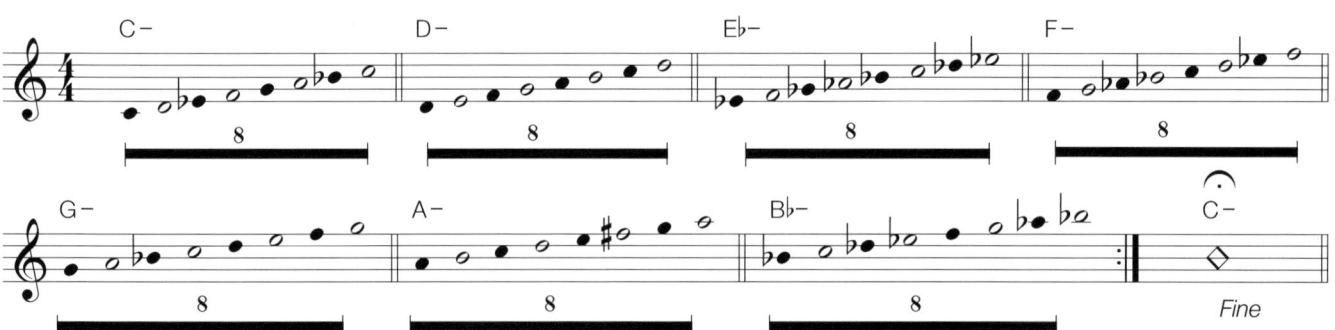

Anmerkung: Der erste Titel auf der CD enthält die Stimmtöne.

CD Track 5 Beliebige Mollakkorde/Skalen – viertaktige Phrasen (4 x gespielt)

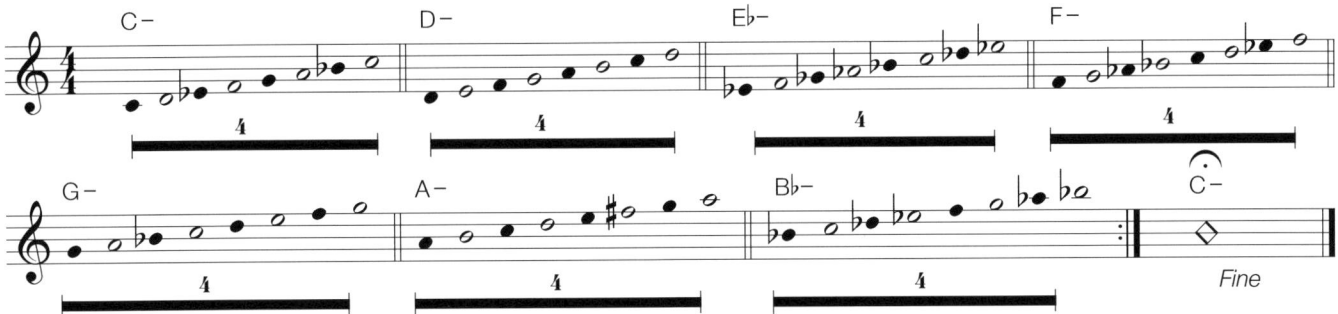

CD Track 6 Viertaktige Kadenz (2 x gespielt)

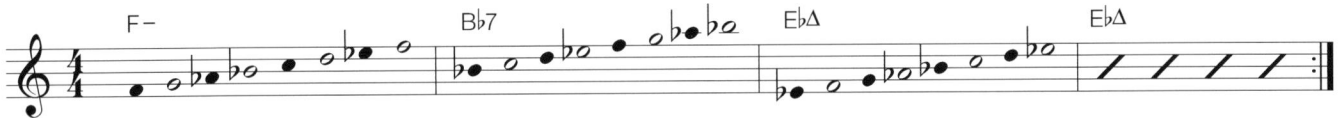

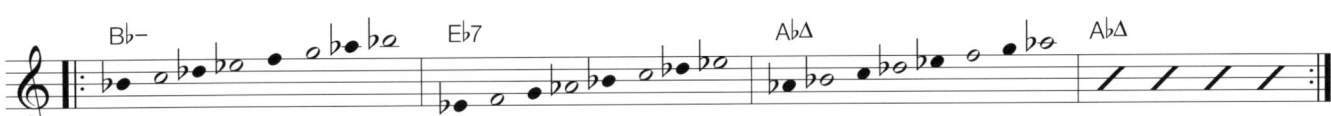

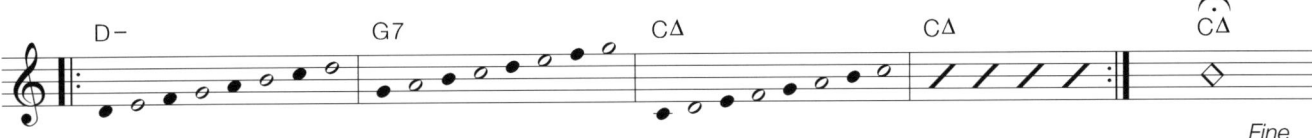

CD Track 7 Blues in B♭ (11 x gespielt)

B♭ Bluestonleiter

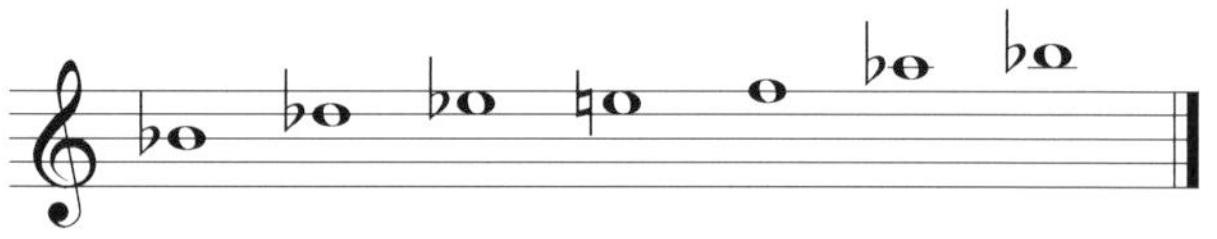

B♭ Mollpentatonik

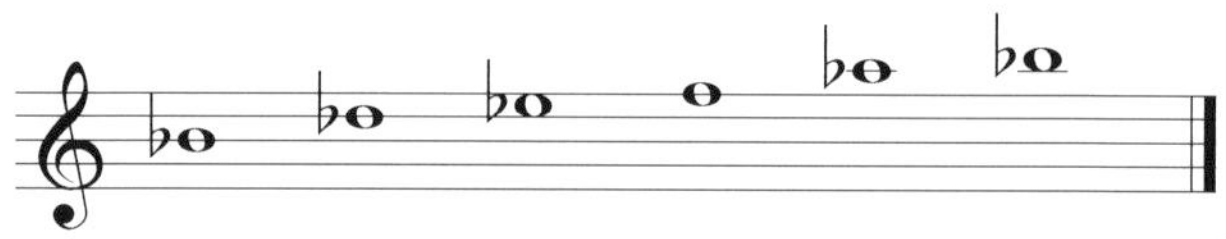

CD Track 8 Blues in F (12 x gespielt)

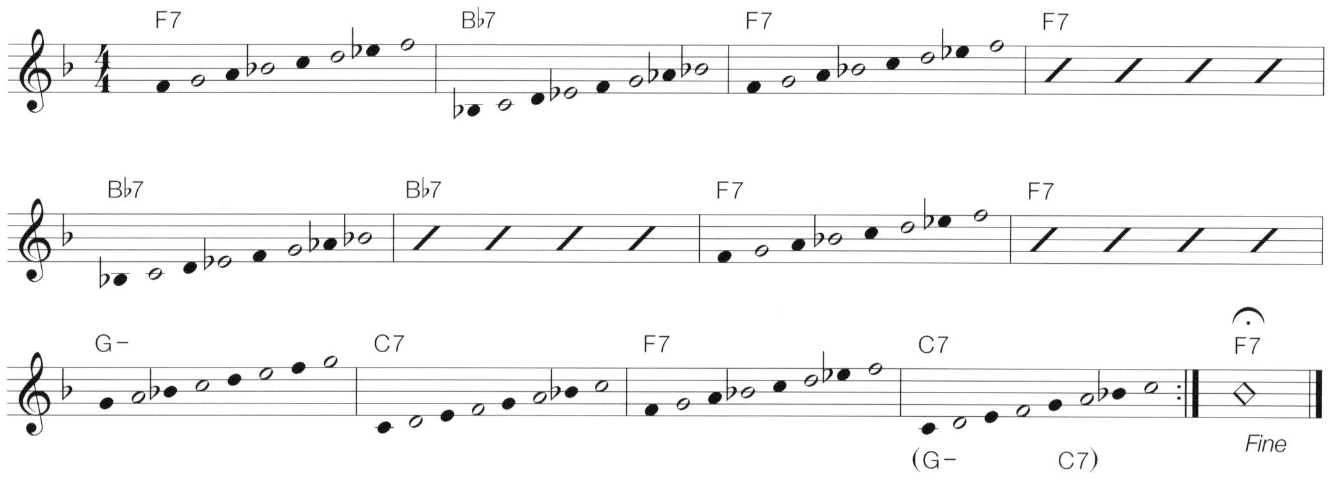

F Bluestonleiter

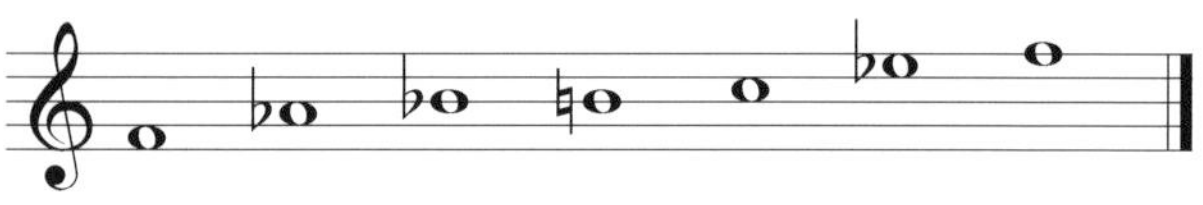

F Mollpentatonik

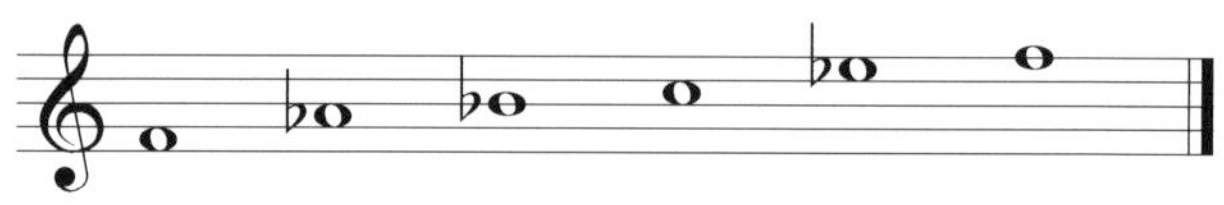

CD Track 9 — Dominantseptakkord-Zyklus, viertaktige Phrasen (2 x gespielt)

CD Track 10 — 24 taktiges Stück (5 x gespielt)

CD Track 11 Moll – Dominantsept, II-V7 (5 x gespielt)

Fine

Bluesthemen für C Instrumente

HUB CAPS

CD Track 7

Jamey Aebersold

PENTATONIC BLUES

CD Track 7

Jamey Aebersold

(Wiederholen Sie die Melodie der ersten 4 Takte)

CD Track 7

THE ROVING THIRD

Jamey Aebersold

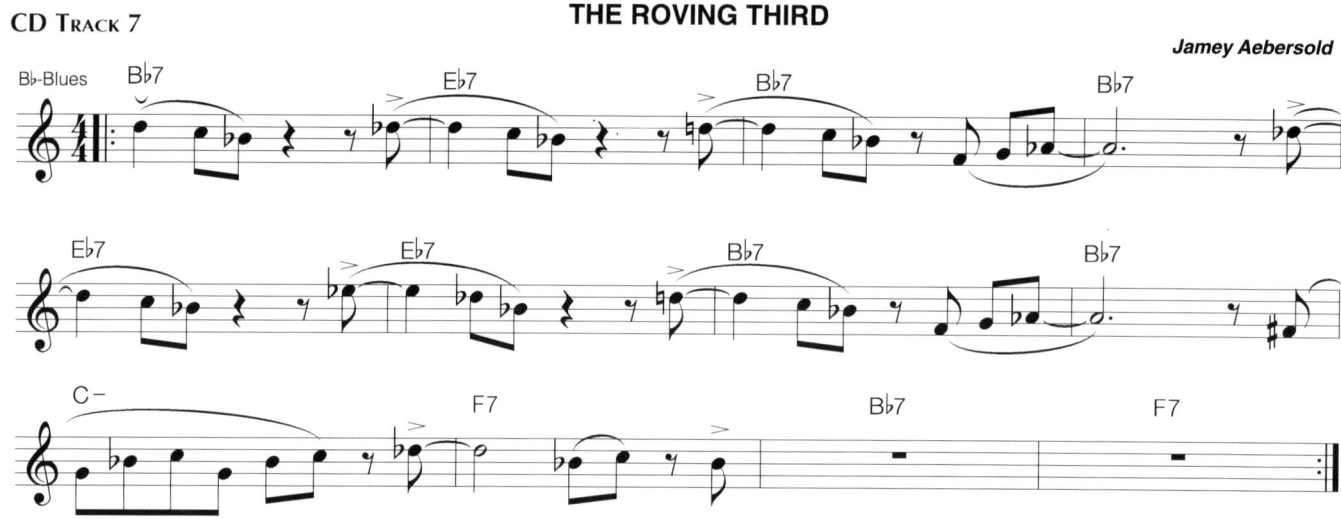

CD Track 8

FIVE O'CLOCK BLUES

Jamey Aebersold

CD Track 8

SLIPPERY BLUES

Jamey Aebersold

(Wiederholen Sie die Melodie der ersten 4 Takte)   (Wiederholen Sie die Melodie der ersten 4 Takte)

Akkordfolgen für B♭ Instrumente

Die große Ziffer unter jeder Skala zeigt an, wieviel Takte der Akkord bzw. die Skala gespielt wird. Jeder Schrägstrich (∕) symbolisiert einen Schlag.

CD Track 2 G–, F–, E– – achttaktige Phrasen (4x gespielt)

CD Track 3 G–, F–, E– – viertaktige Phrasen (9x gespielt)

CD Track 4 Beliebige Mollakkorde/Skalen – achttaktige Phrasen (3x gespielt)

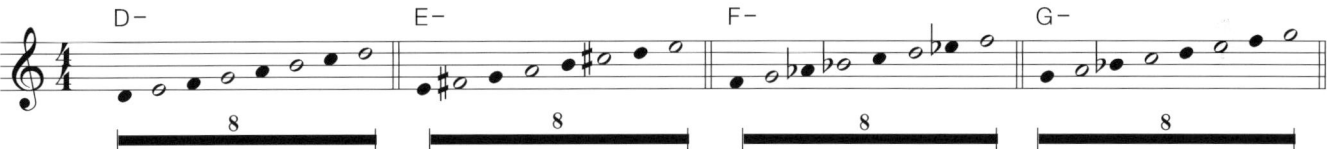

CD Track 5 Beliebige Mollakkorde/Skalen – viertaktige Phrasen (4x gespielt)

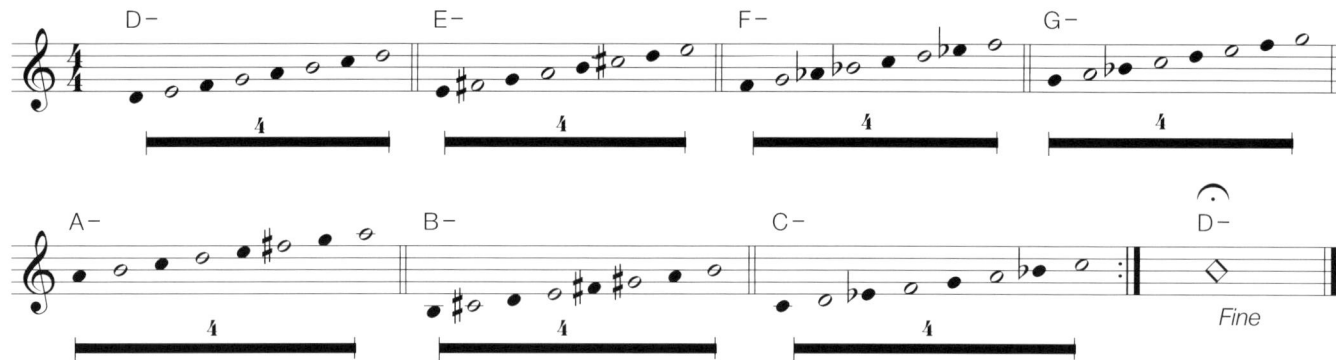

CD Track 6 Viertaktige Kadenzen (2x gespielt)

CD Track 7 — Blues in klingend B♭ (11 x gespielt)

CD Track 8 — Blues in klingend F (12 x gespielt)

CD Track 9 Dominantseptakkord-Zyklus, viertaktige Phrasen (2 x gespielt)

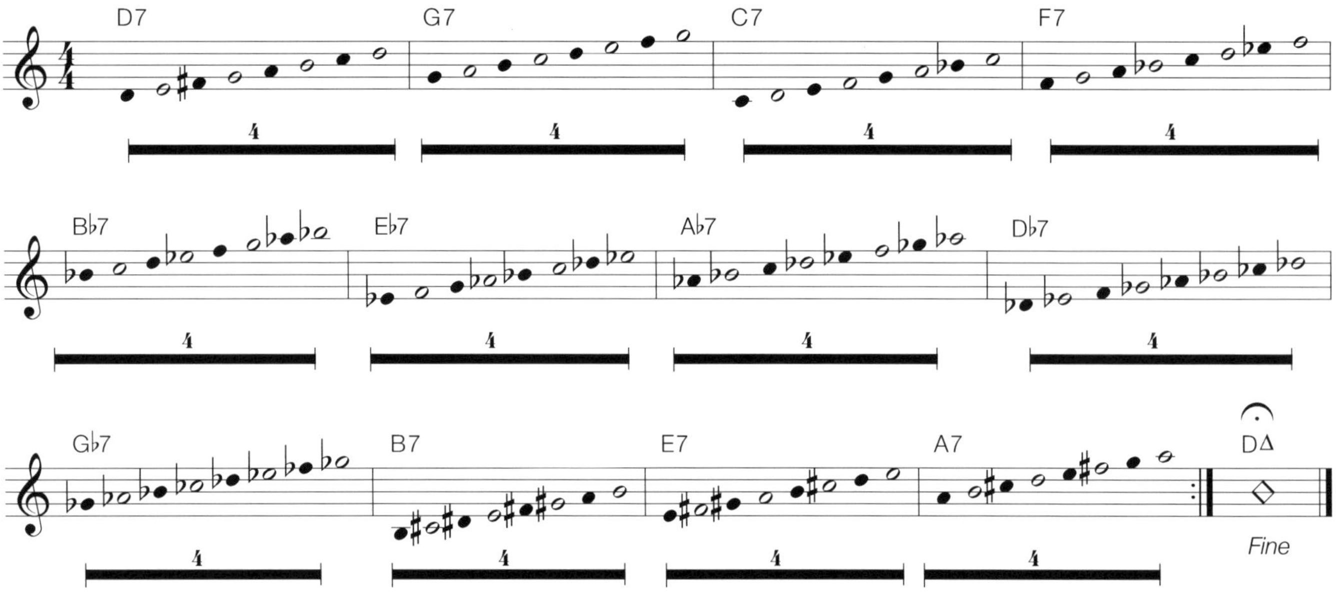

CD Track 10 24 taktiges Stück (5 x gespielt)

CD Track 11 Moll – Dominantsept, II-V7 (5 x gespielt)

Bb

Fine

Bluesthemen für B♭ Instrumente

CD Track 7

HUB CAPS

Jamey Aebersold

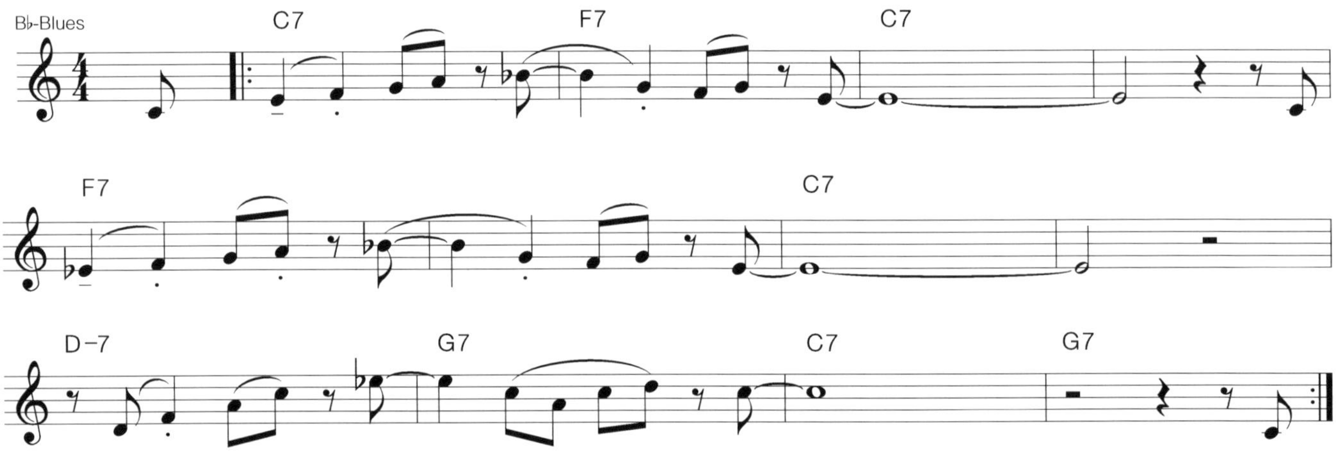
B♭-Blues
C7
F7
C7
F7
C7
D−7
G7
C7
G7

CD Track 7

PENTATONIC BLUES

Jamey Aebersold

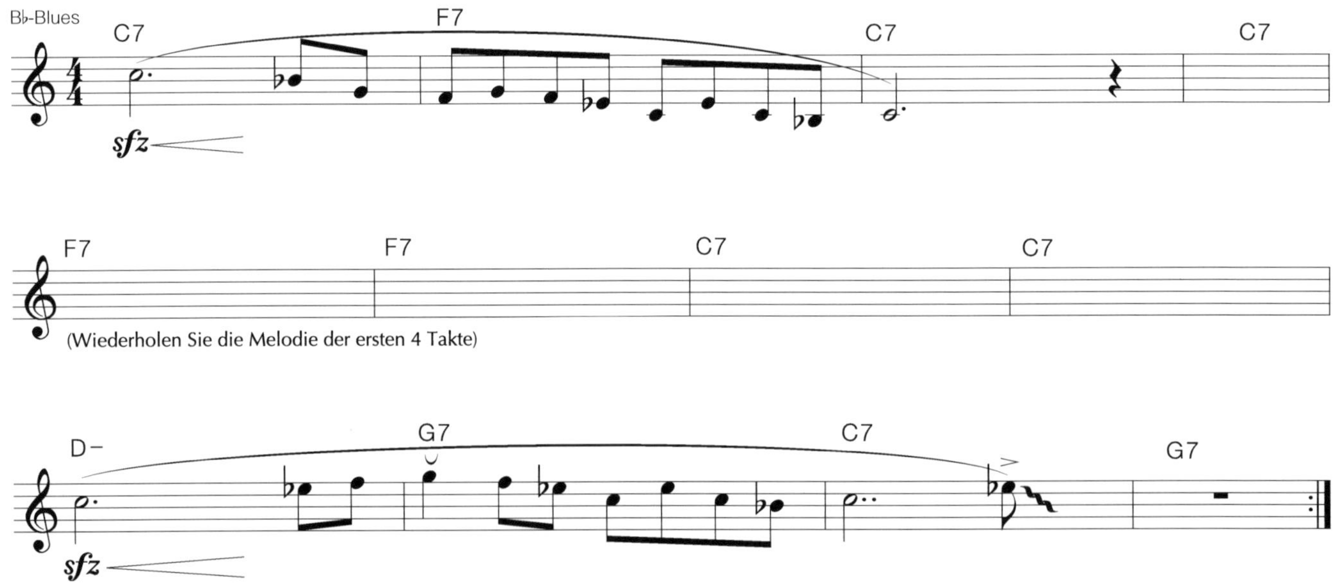
B♭-Blues
C7
F7
C7
C7
sfz
F7
F7
C7
C7
(Wiederholen Sie die Melodie der ersten 4 Takte)
D−
G7
C7
G7
sfz

CD Track 7
THE ROVING THIRD
Jamey Aebersold

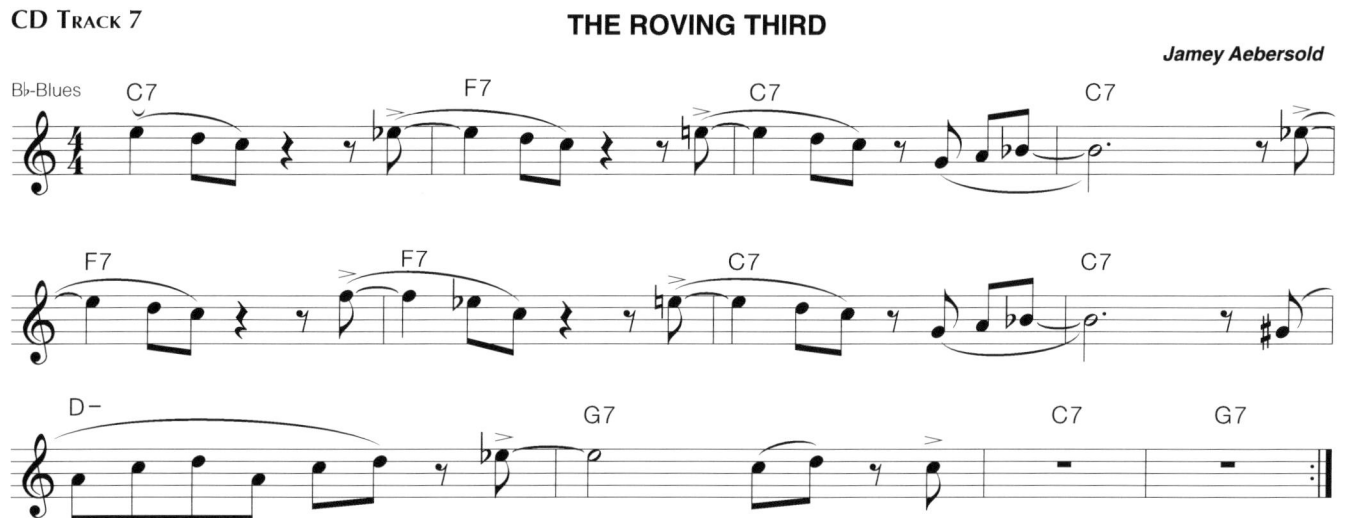

CD Track 8
FIVE O'CLOCK BLUES
Jamey Aebersold

CD Track 8
SLIPPERY BLUES
Jamey Aebersold

(Wiederholen Sie die Melodie der ersten 4 Takte)   (Wiederholen Sie die Melodie der ersten 4 Takte)

20 Übungen - transponiert für B♭ Instrumente

CD Track 2 (Beispiele 1–20)

Beispiel 1

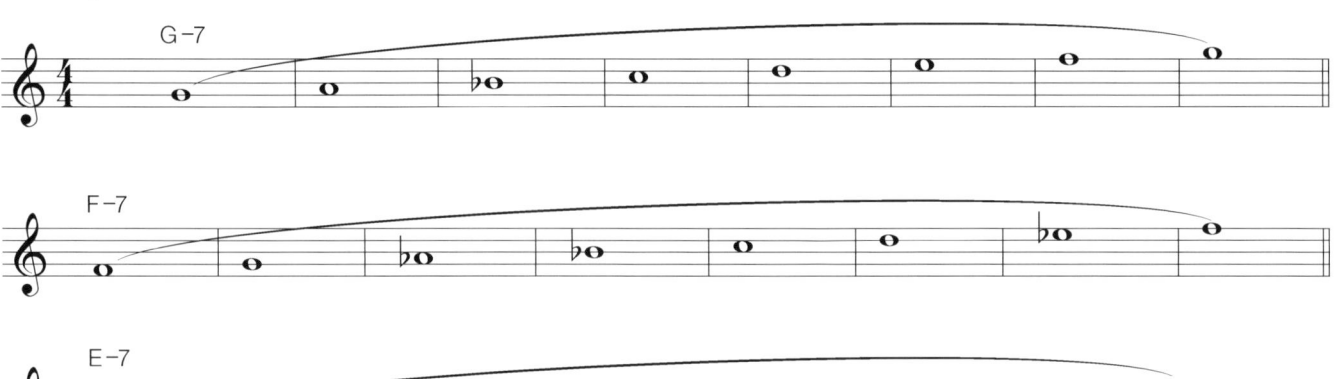

Beispiel 2

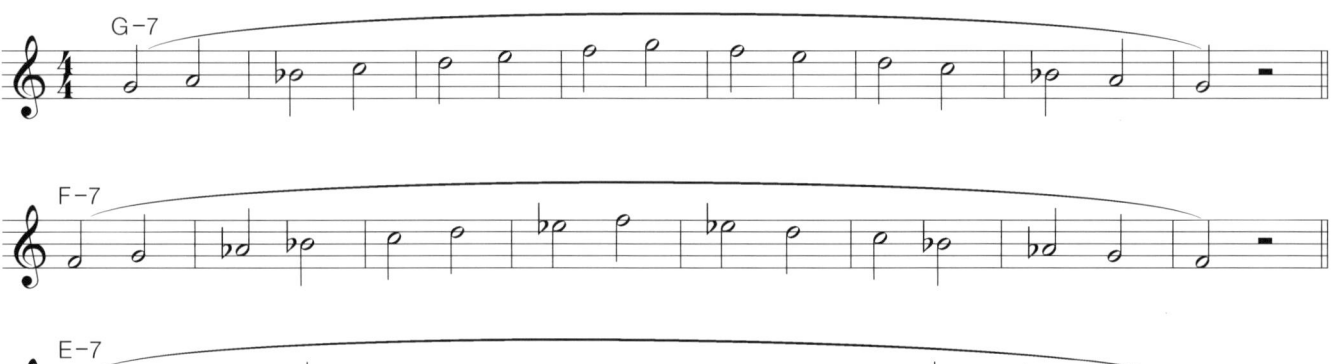

Beispiel 3

Beispiel 4

Beispiel 5

Beispiel 6

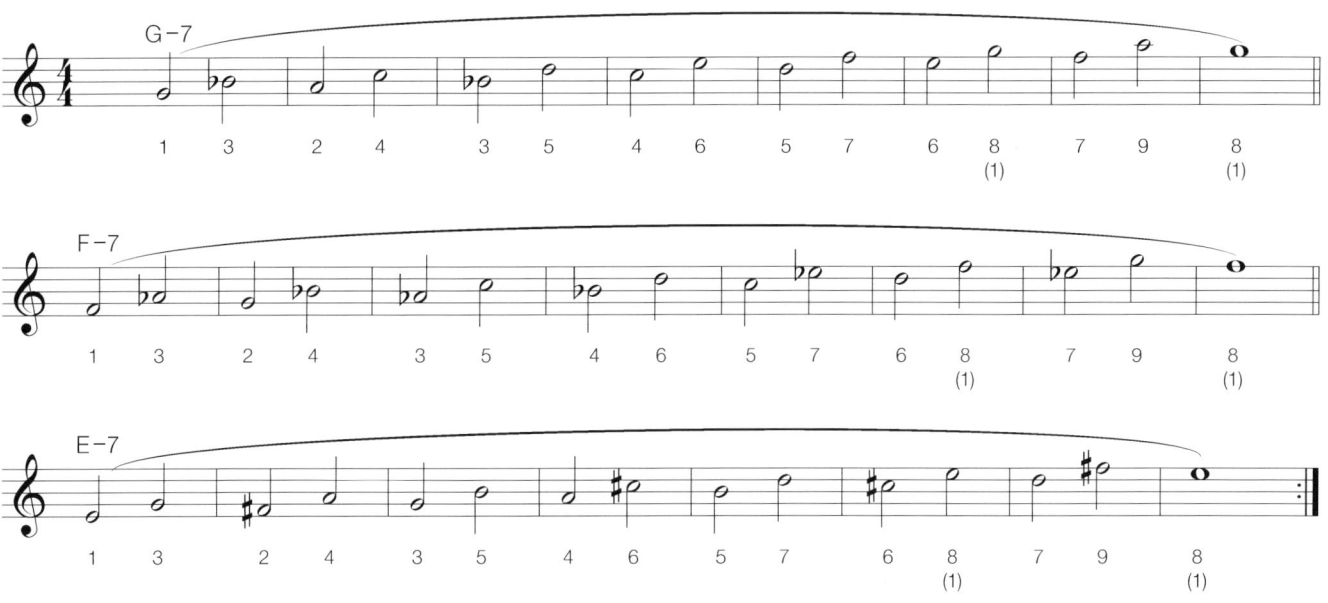

Beispiel 7

Beispiel 8

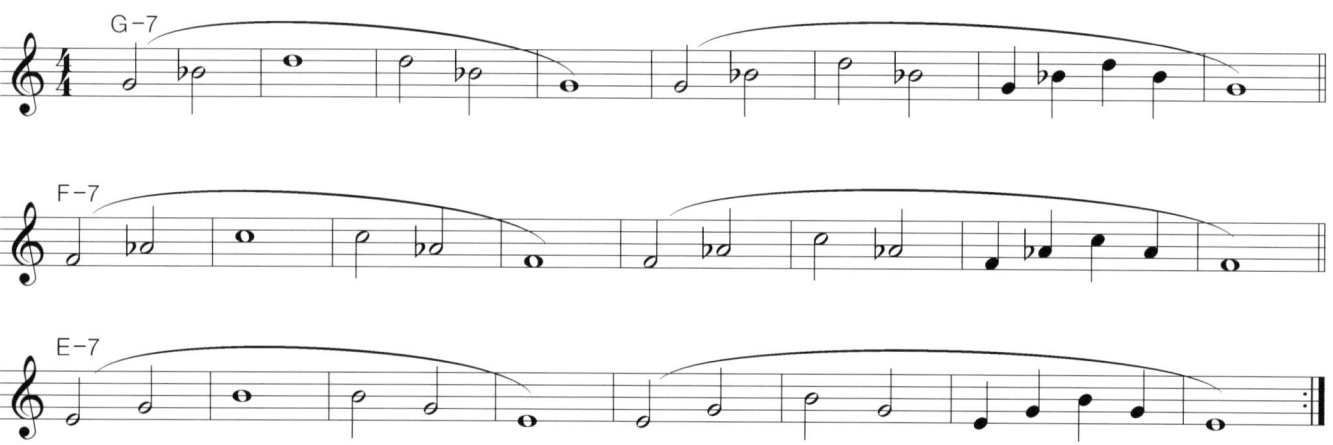

Beispiel 9

Beispiel 10

(Wiederholen Sie die vorangegangenen 2 Takte)

Beispiel 11

Beispiel 12

Beispiel 13

Beispiel 14

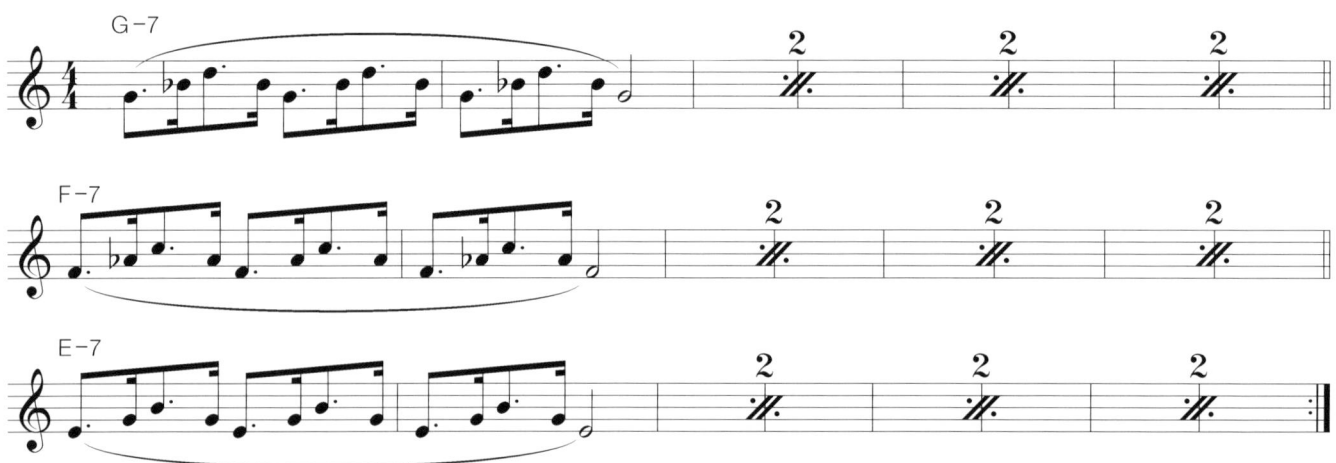

Beispiel 15

Beispiel 16

Beispiel 17

Beispiel 18

Beispiel 19

Beispiel 20

Akkordfolgen für E♭ Instrumente

Die große Ziffer unter jeder Skala zeigt an, wieviel Takte der Akkord bzw. die Skala gespielt wird. Jeder Schrägstrich (╱) symbolisiert einen Schlag.

CD Track 2   F–, E♭–, D– – achttaktige Phrasen (4 x gespielt)

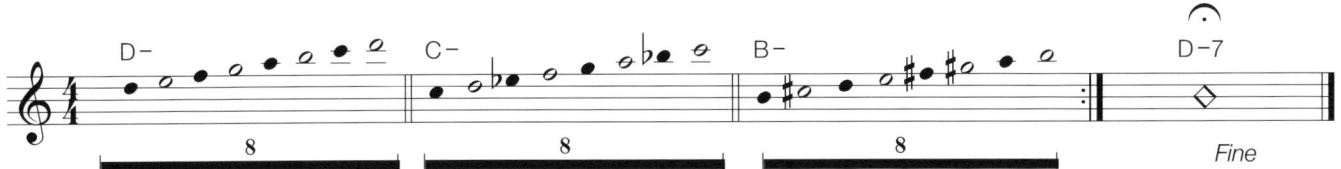

CD Track 3   F–, E♭–, D– – viertaktige Phrasen (9 x gespielt)

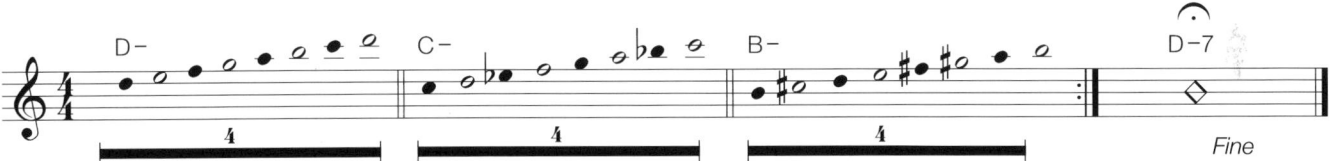

CD Track 4   Beliebige Mollakkorde/Skalen – achttaktige Phrasen (3 x gespielt)

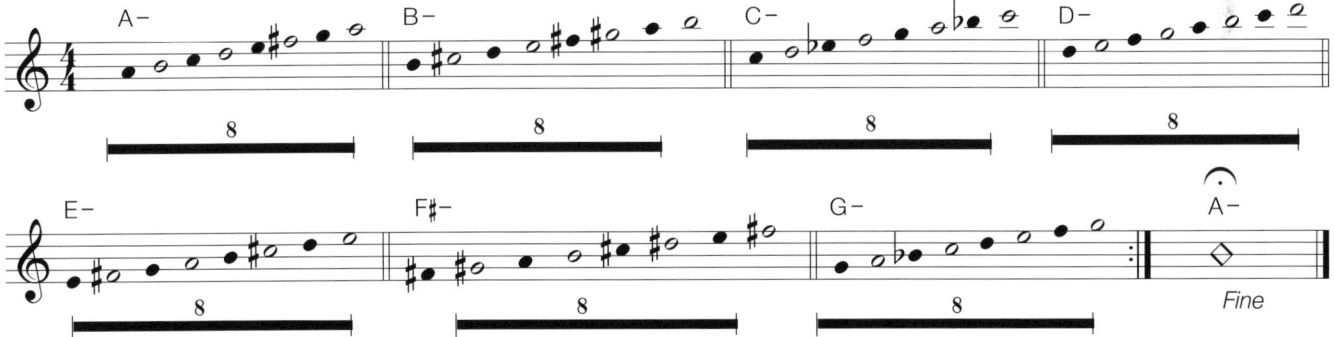

CD Track 5   Beliebige Mollakkorde/Skalen – viertaktige Phrasen (4x gespielt)

CD Track 6   Viertaktige Kadenzen (2x gespielt)

CD Track 7   Blues in klingend B♭ (11 x gespielt)

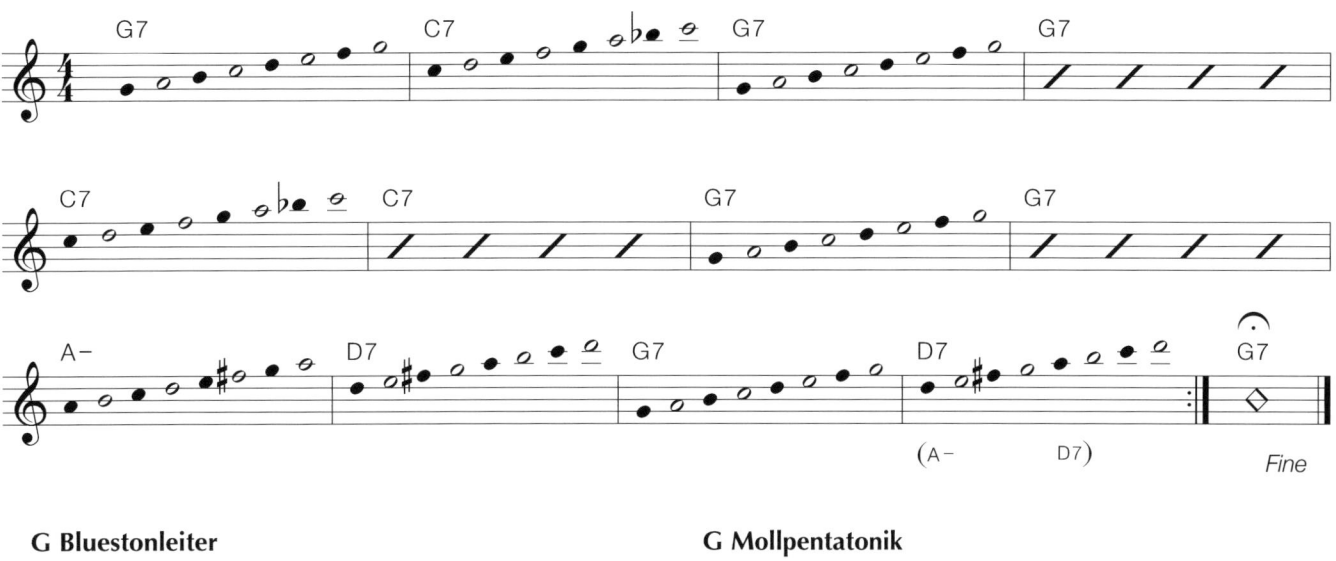

G Bluestonleiter

G Mollpentatonik

CD Track 8   Blues in klingend F (12 x gespielt)

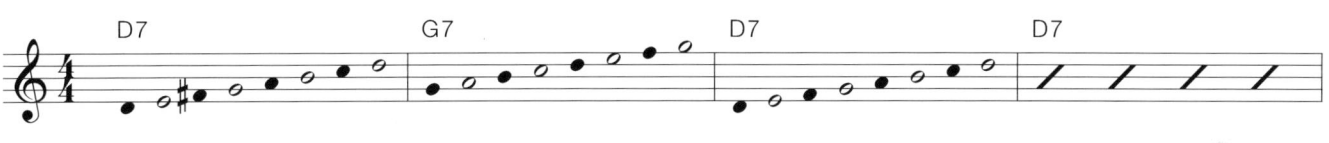

D Bluestonleiter

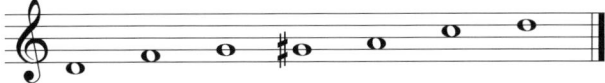

D Mollpentatonik

CD Track 9 Dominantseptakkord-Zyklus, viertaktige Phrasen (2 x gespielt)

CD Track 10 24 taktiges Stück (5 x gespielt)

CD Track 11 Moll – Dominantsept, II-V7 (5 x gespielt)

Fine

Bluesthemen für E♭ Instrumente

CD Track 7

HUB CAPS

Jamey Aebersold

CD Track 7

PENTATONIC BLUES

Jamey Aebersold

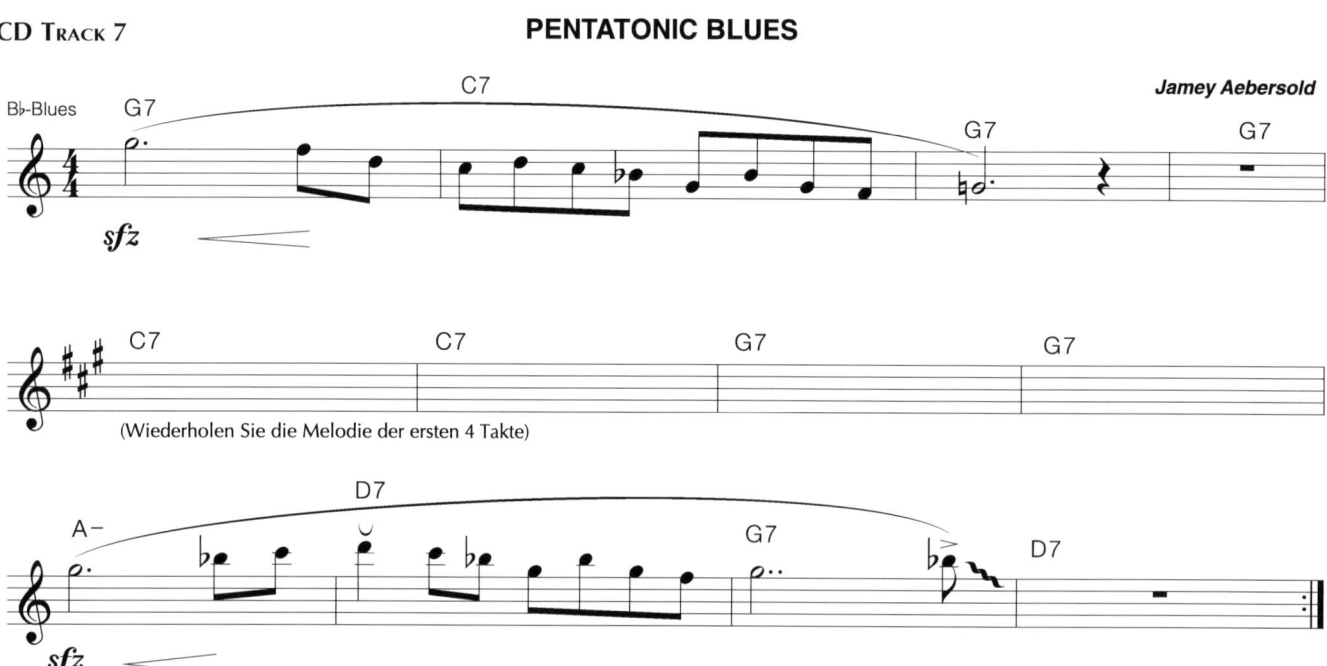

(Wiederholen Sie die Melodie der ersten 4 Takte)

CD Track 7

THE ROVING THIRD

Jamey Aebersold

CD Track 8

FIVE O'CLOCK BLUES

Jamey Aebersold

CD Track 8

SLIPPERY BLUES

Jamey Aebersold

(Wiederholen Sie die Melodie der ersten 4 Takte)　　　(Wiederholen Sie die Melodie der ersten 4 Takte)

20 Übungen - transponiert für E♭ Instrumente

CD Track 2 (Beispiele 1–20)

Beispiel 1

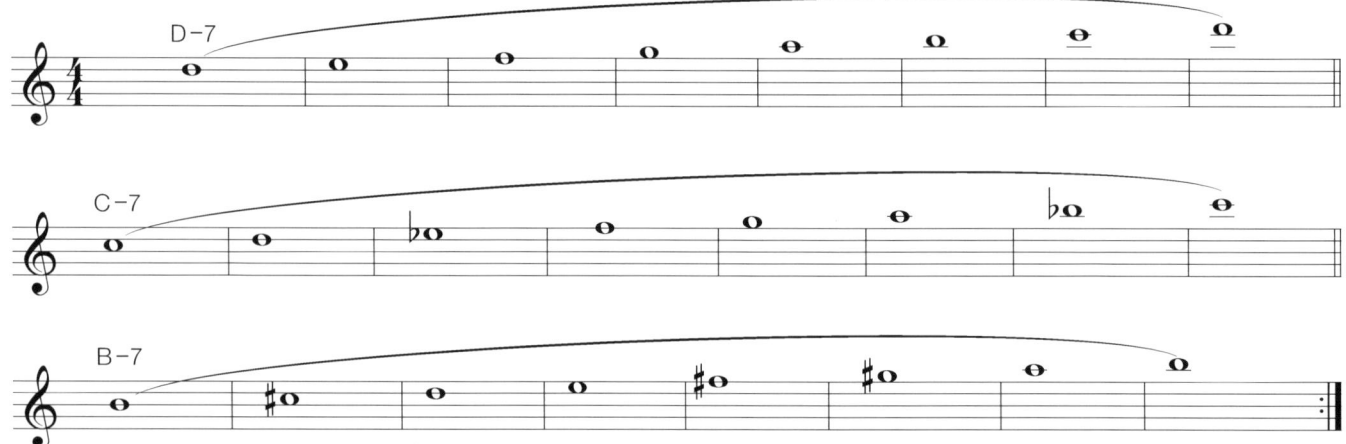

Beispiel 2

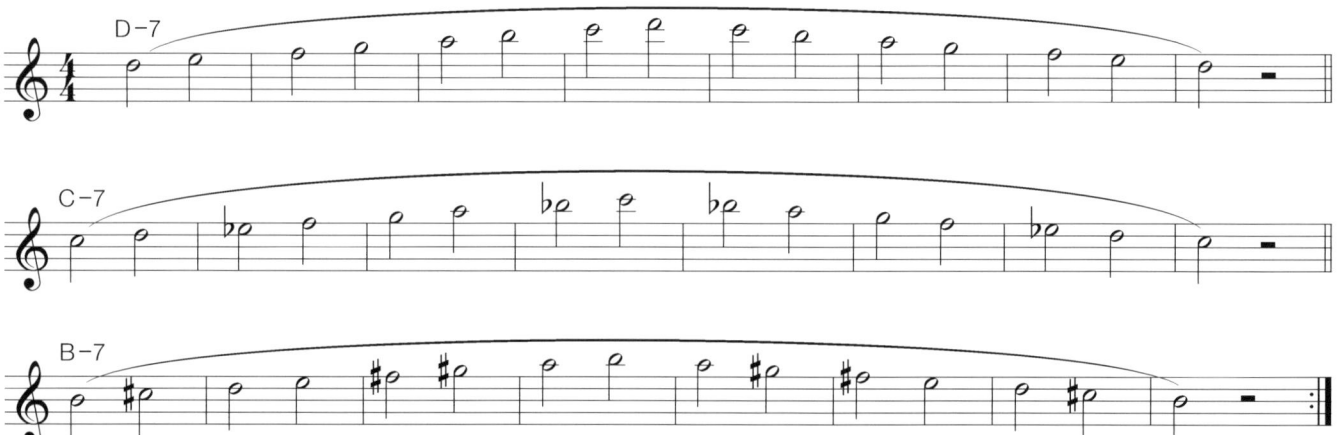

Beispiel 3

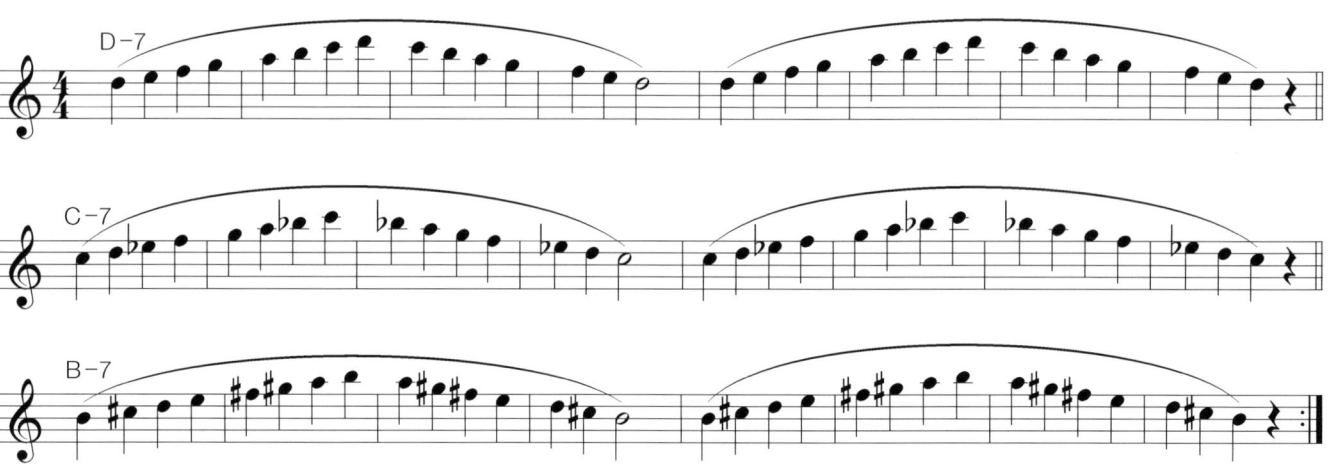

Beispiel 4

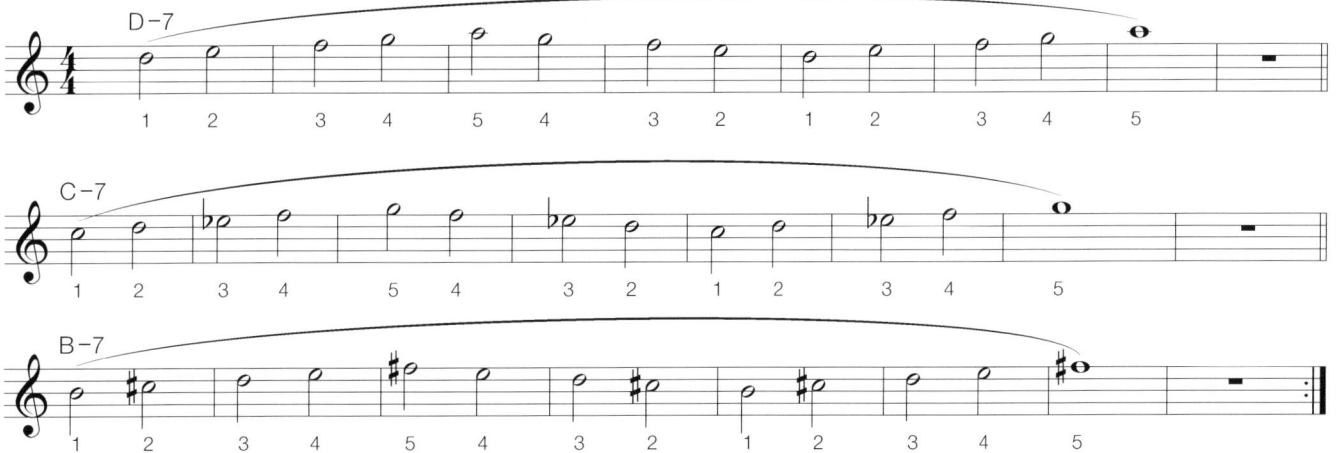

Beispiel 5

Beispiel 6

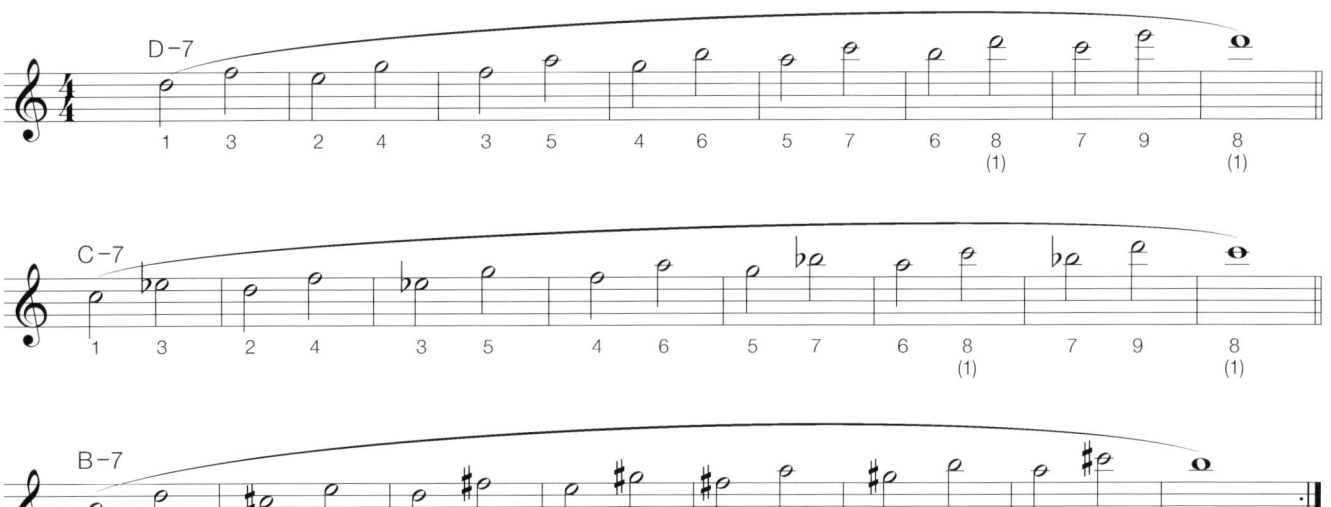

Beispiel 7

Beispiel 8

Beispiel 9

Beispiel 10

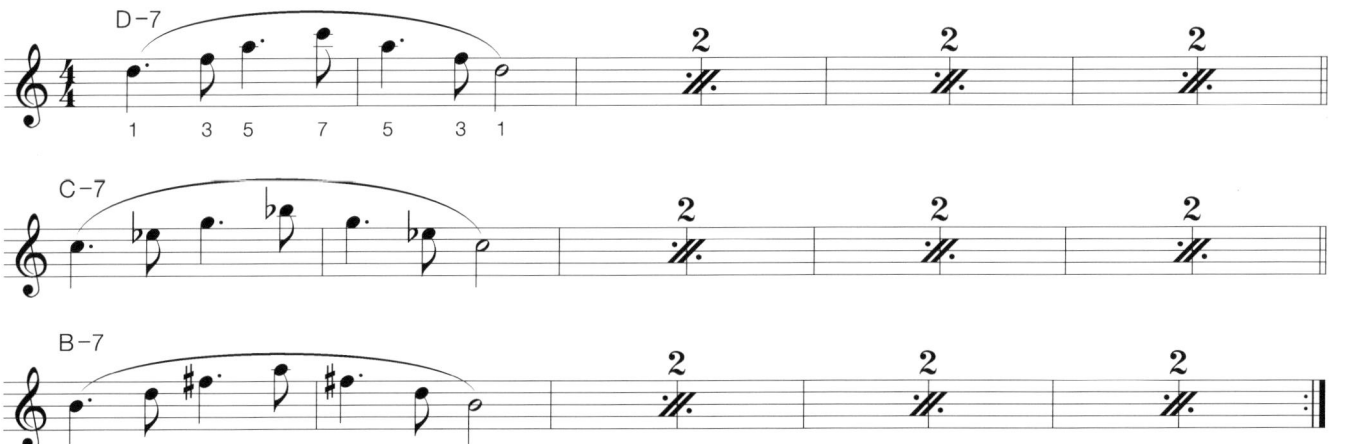

Beispiel 11

Beispiel 12

Beispiel 13

Beispiel 14

Beispiel 15

Beispiel 16

Beispiel 17

Beispiel 18

Beispiel 19

Beispiel 20

Akkordfolgen für Instrumente im Baßschlüssel

Die große Ziffer unter jeder Skala zeigt an, wieviel Takte der Akkord bzw. die Skala gespielt wird. Jeder Schrägstrich (∕) symbolisiert einen Schlag.

CD Track 2　　　　　F–, E♭–, D– – achttaktige Phrasen (4 x gespielt)

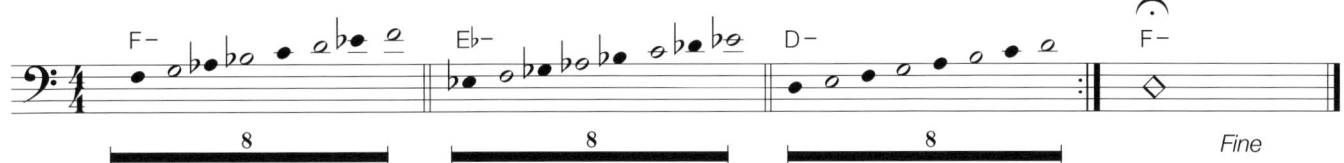

CD Track 3　　　　　F–, E♭–, D– – viertaktige Phrasen (9 x gespielt)

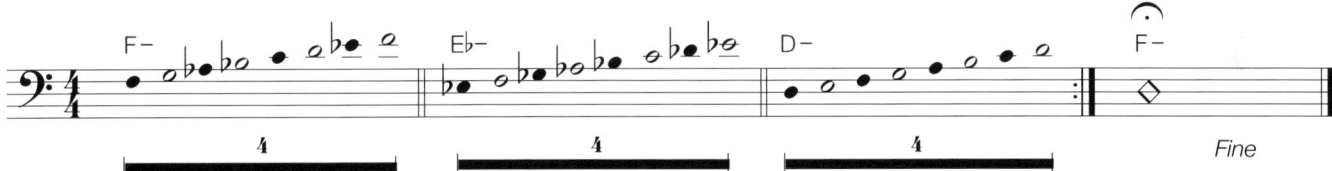

CD Track 4　　　　　Beliebige Mollakkorde/Skalen – achttaktige Phrasen (3 x gespielt)

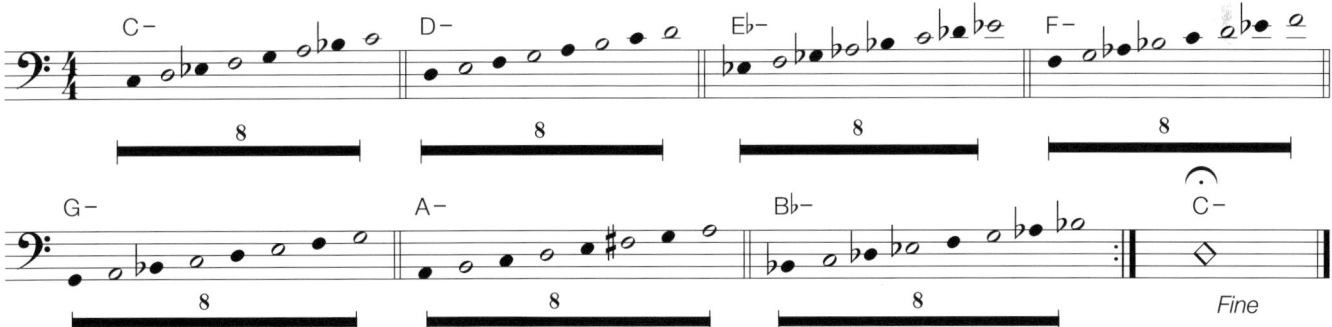

CD Track 5 Beliebige Mollakkorde/Skalen – viertaktige Phrasen (4x gespielt)

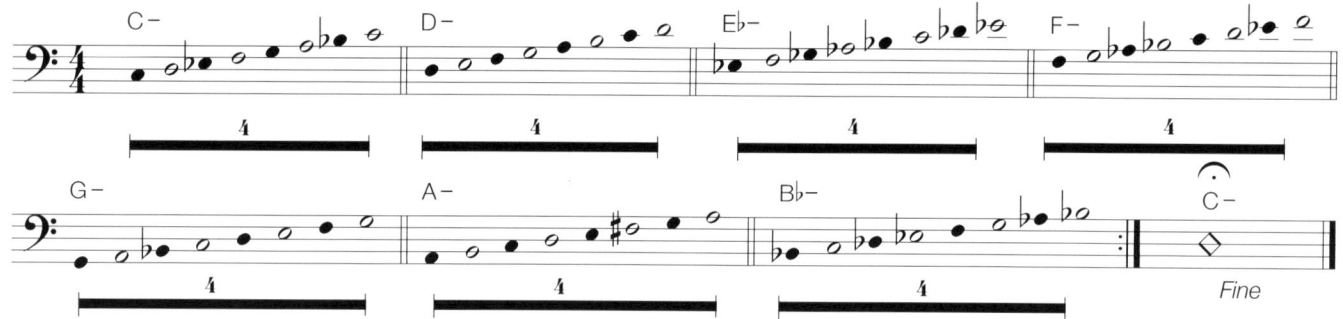

CD Track 6 Viertaktige Kadenzen (2x gespielt)

CD Track 7 Blues in B♭ (11 x gespielt)

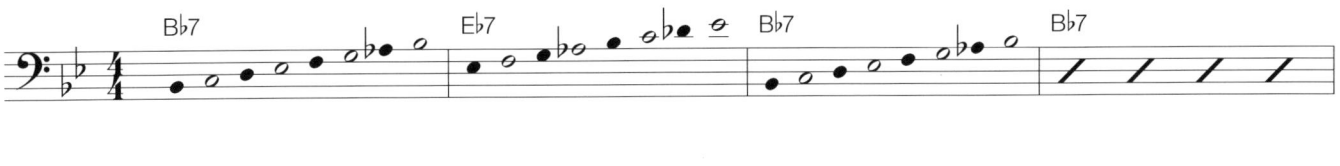
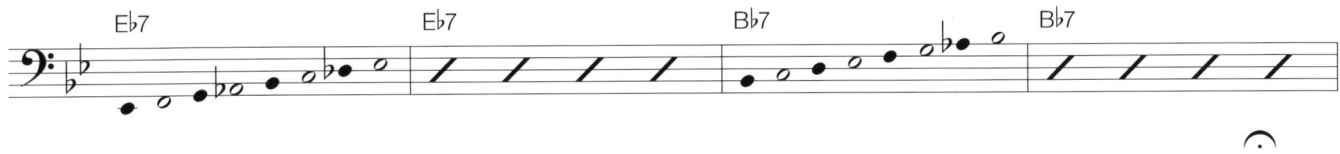

B♭ Bluestonleiter **B♭ Mollpentatonik**

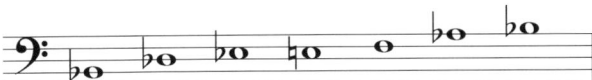 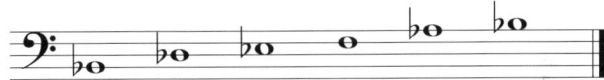

CD Track 8 Blues in F (12 x gespielt)

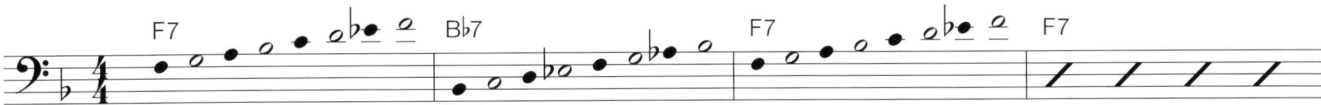

F Bluestonleiter **F Mollpentatonik**

 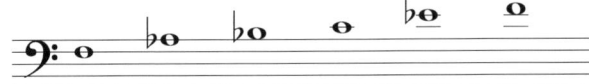

CD Track 9 Dominantseptakkord-Zyklus, viertaktige Phrasen (2 x gespielt)

CD Track 10 24 taktiges Stück (5 x gespielt)

Fine

CD Track 11 Moll – Dominantsept, II-V7 (5 x gespielt)

Fine

Bluesthemen für Baßschlüssel Instrumente

CD Track 7

THE ROVING THIRD
Jamey Aebersold

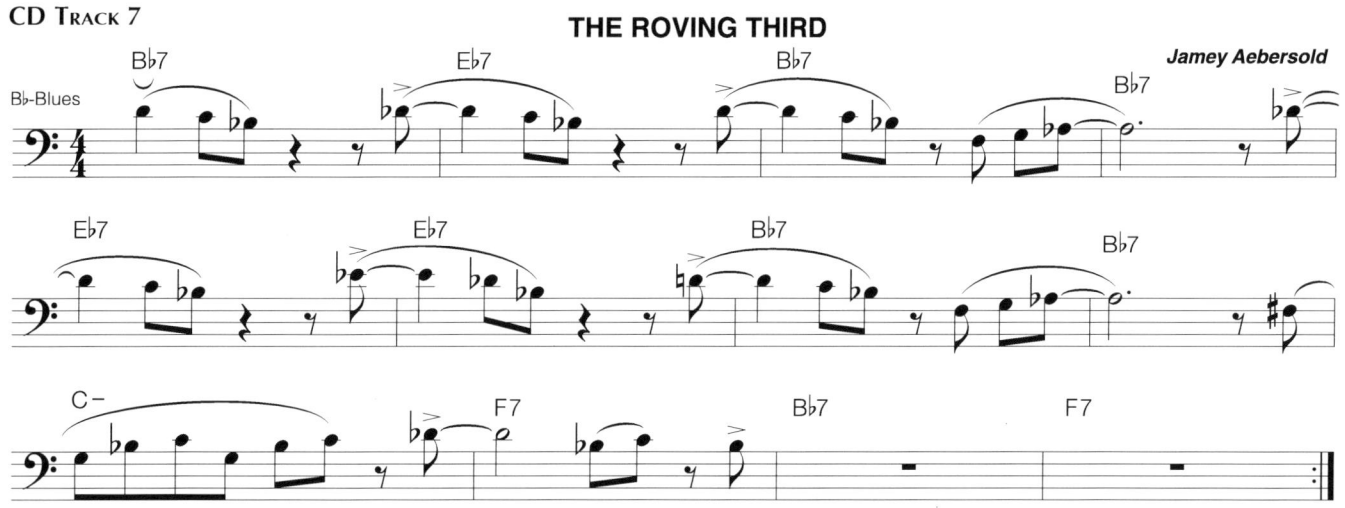

FIVE O'CLOCK BLUES
CD Track 8

Jamey Aebersold

SLIPPERY BLUES
CD Track 8

Jamey Aebersold

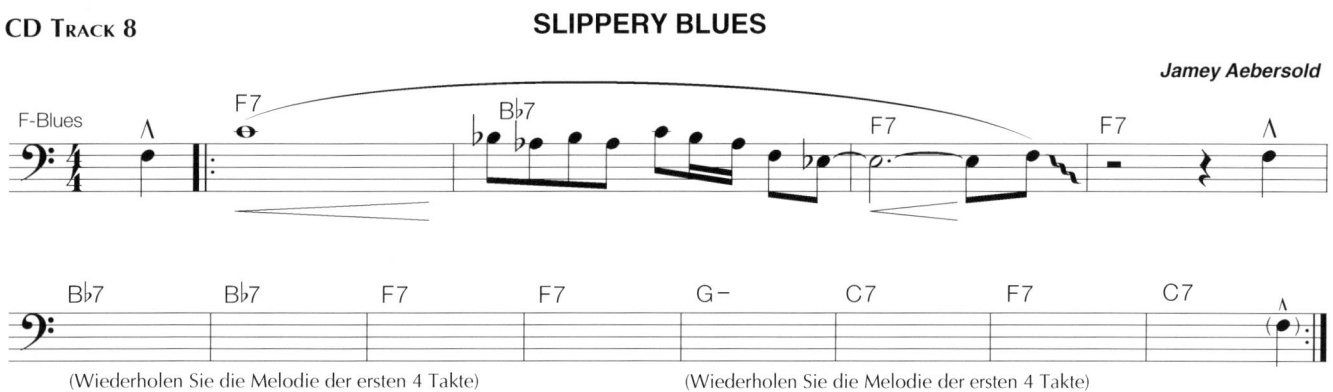

(Wiederholen Sie die Melodie der ersten 4 Takte)   (Wiederholen Sie die Melodie der ersten 4 Takte)

20 Übungen - transponiert für Baßschlüssel

CD Track 2 (Beispiele 1–20)

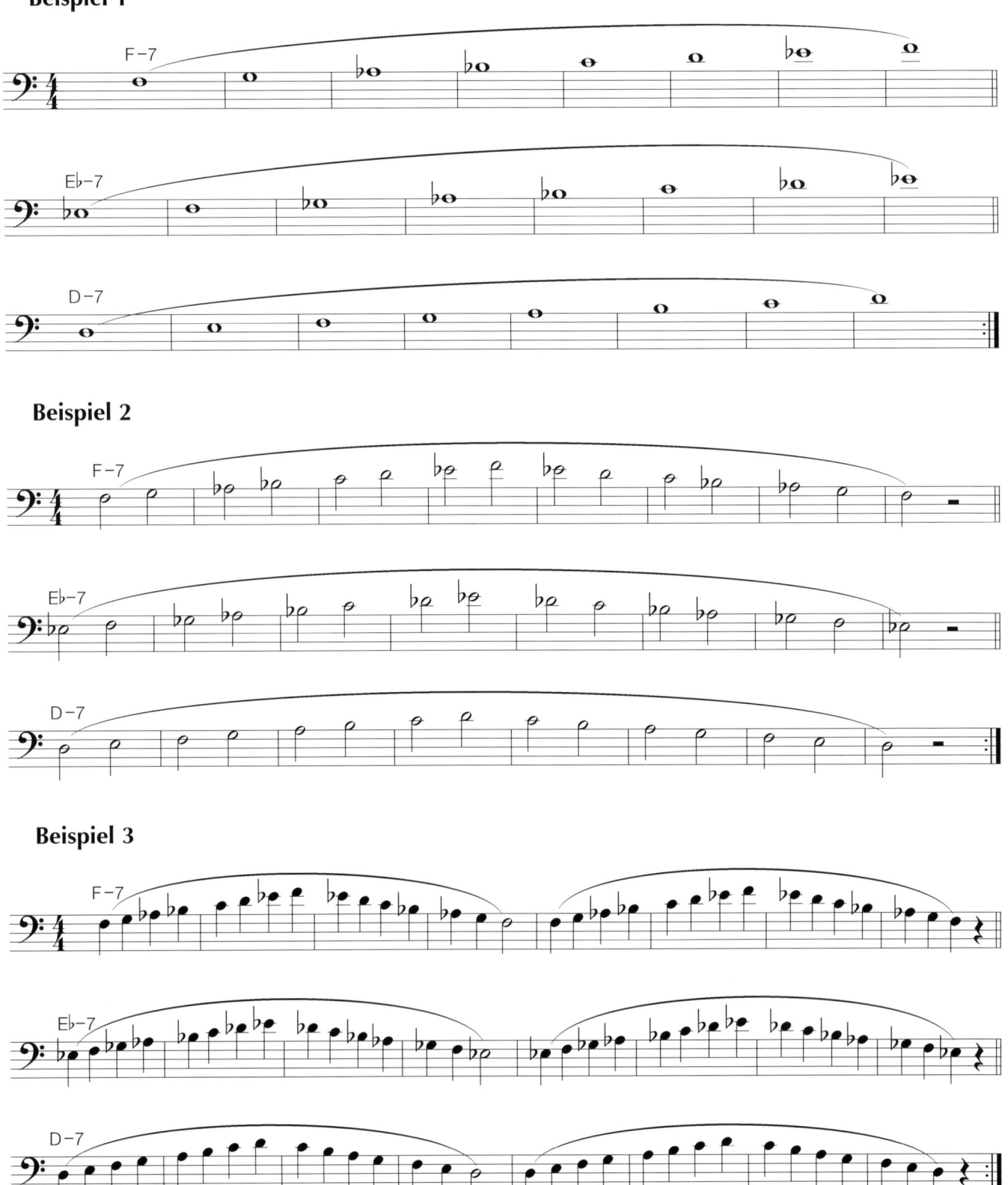

Beispiel 4

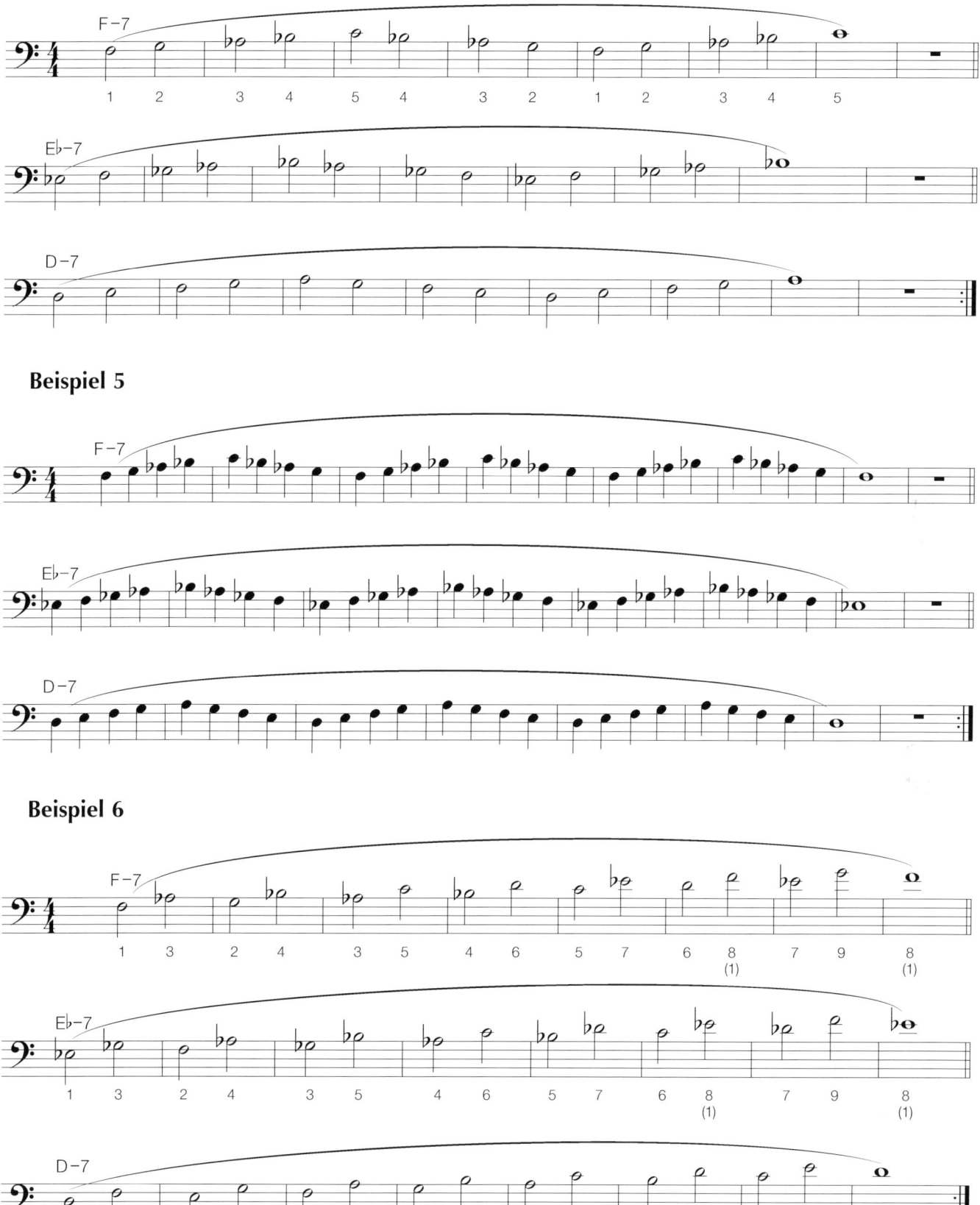

Beispiel 5

Beispiel 6

Beispiel 7

Beispiel 8

Beispiel 9

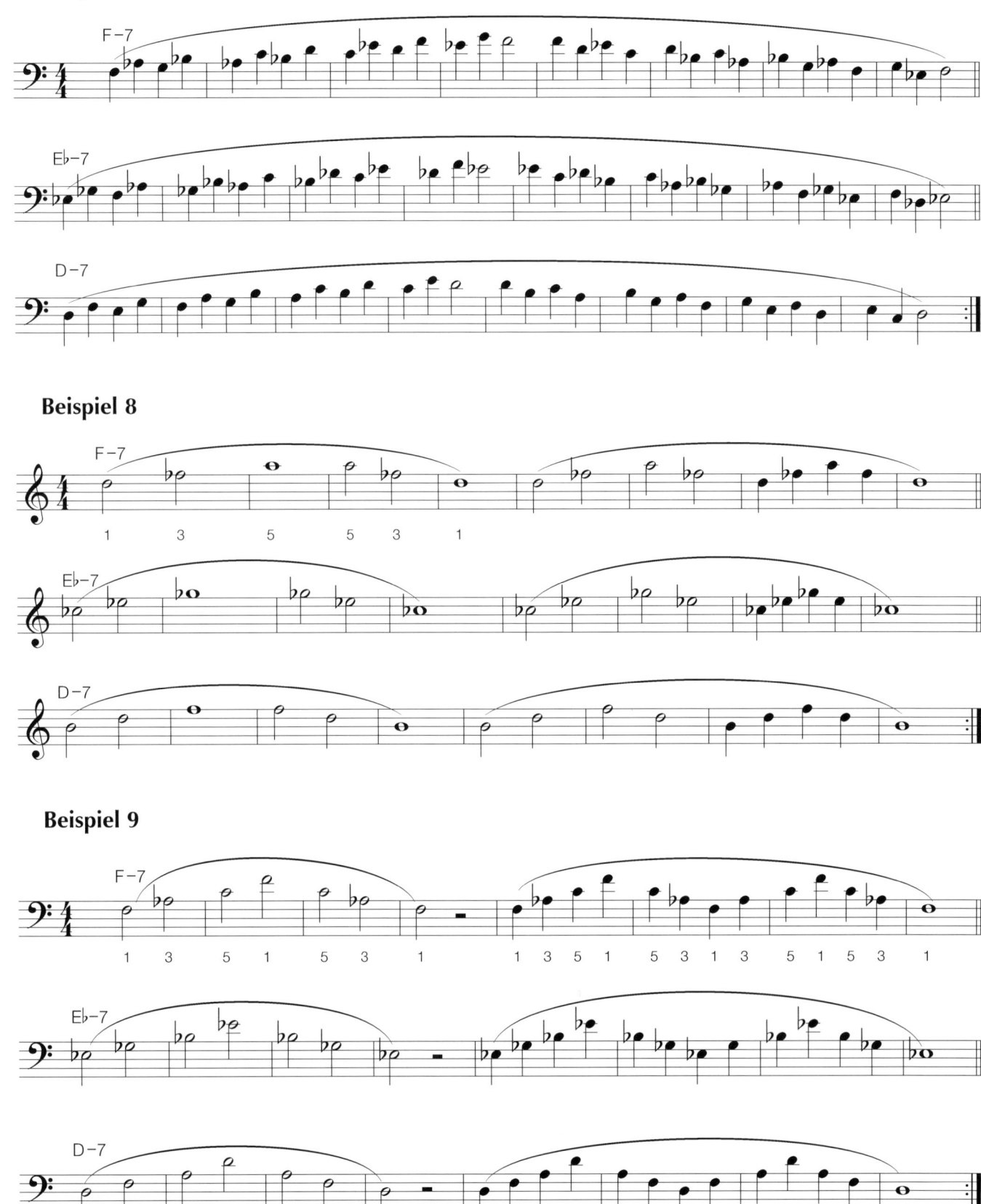

Beispiel 10

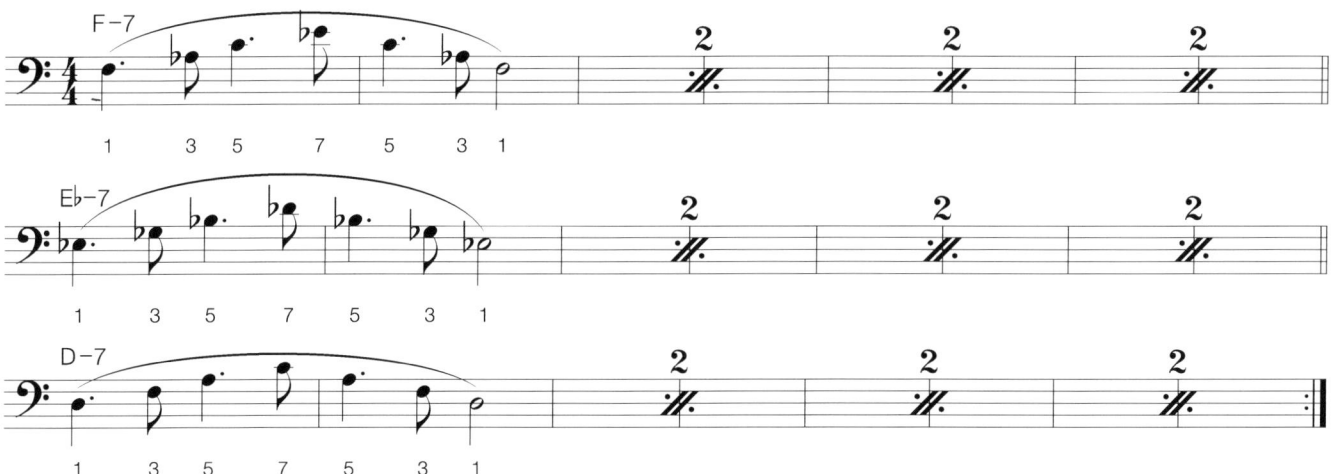

Beispiel 11

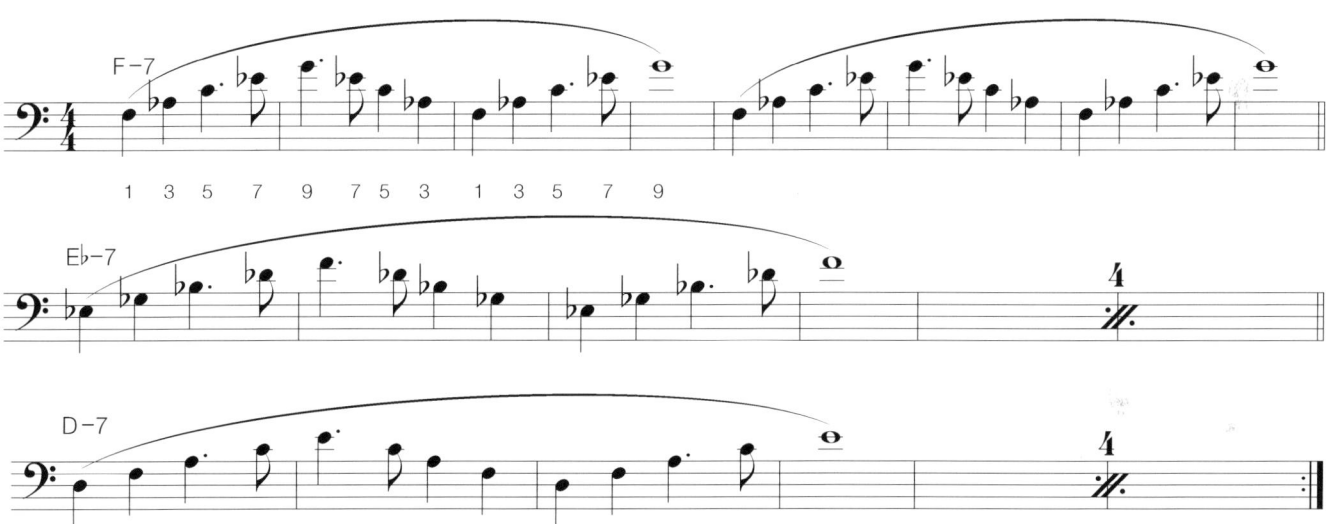

Beispiel 12

Beispiel 13

Beispiel 14

Beispiel 15

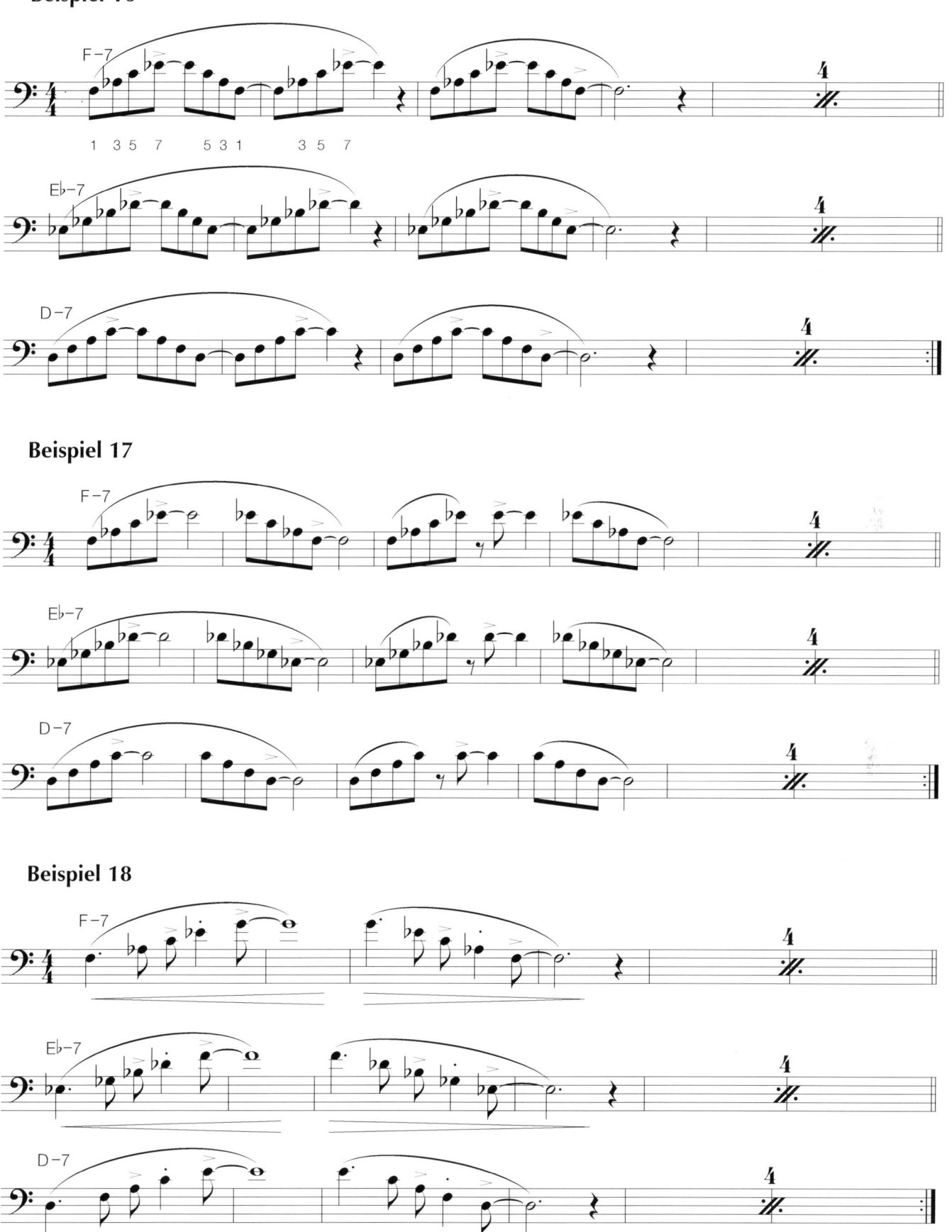

Praktische Übungen

Die folgenden Seiten enthalten Übungen, die mit den einzelnen Titeln der Schallplatte geübt werden können. Die Musikbeispiele sind in klingend C notiert. Wenn Sie ein transponierendes Instrument spielen, müssen Sie diese Übungen an Ihr Instrument anpassen.

Sie zeigen nur ein paar der zahllosen Möglichkeiten und sind für fortgeschrittene Anfänger gedacht. Jeder Musiker sollte mit Skalen- und Akkordpattern experimentieren, sie aufschreiben und auswendig lernen. Verwenden Sie die Übungen und Pattern im Begleitbuch und in diesem Anhang als Ausgangsbasis.

Benützen Sie die »Zehn grundlegenden Patterns« zusätzlich zu den folgenden Übungen, als Teil Ihrer täglichen Übungen. Sie können auch jede der Übungen zu jedem Plattentitel spielen. Zur Abwechslung können Sie die Pattern auch von hinten nach vorne spielen.

CD Track 2 und 3: Verwenden Sie die »20 Übungen« und die »Zehn grundlegenden Patterns« (S.78-79). Kombinieren Sie sie, sodaß sie achttaktige bzw. viertaktige Phrasen ergeben. Sehen Sie sich auch das Kapitel über die Anwendung der Bluesskala und das Notenbeispiel auf der folgenden Seite an.

CD Track 4: Siehe Notenbeispiele auf der folgenden Seite (in die entsprechenden Tonarten transponieren).

CD Track 5: Verwenden Sie die »20 Übungen« und die »Zehn grundlegenden Patterns«. Kombinieren Sie die Phrasen, sodaß sie viertaktige Phrasen ergeben. Achtelnoten müssen gerade gespielt werden, da die Rhythmusgruppe im *Bossa-Nova-Feeling* spielt.

CD Track 6: Siehe Seite 131.

CD Track 7 - Blues in B♭: Spielen Sie die Bluesskala in B♭. Lesen Sie das Kapitel »Der Blues« und »Die Bluesskala und ihre Anwendung«.

Üben Sie die Betonung der Terz und der Septime jedes Akkordes. Beachten Sie, wie die Septime von B♭7 zur Terz von E♭7 (im zweiten Takt) zieht. Verwenden Sie mehrere Chorusse, um das Gefühl und die Stimmung kennenzulernen, die durch die Betonung der Sexte und der None entsteht.

Wenden Sie die verschiedenen Konzepte an, die im Kapitel »Melodische Entwicklung« besprochen wurden.

Spielen Sie mehrere Chorusse mit nur zwei Nachbartönen. Variieren Sie den Rhythmus, die Artikulation und die Dynamik, um Abwechslung zu erzielen. Verwenden Sie Pausen (*Space*).

Benützen Sie die »Zehn grundlegenden Patterns« und alle anderen Patterns in diesem Buch. Passen Sie das ausgewählte Pattern an die jeweilige Taktzahl an.

Am wichtigsten ist es jedoch, sich Bluesaufnahmen von Jazzmusikern anzuhören. Tenorsaxophonist Gene Ammons wäre eine gute Wahl für den Anfang.

CD Track 8 - Blues in F: Transponieren Sie die obigen Anregungen nach F.

CD Track 9: Siehe Musikbeispiel Seite 132 (Anhang).

CD Track 10 - 24 taktiges Stück: Verwenden Sie alle »Zehn grundlegenden Patterns« mit dieser Aufnahme. Sie enthält Dur-, Moll- und Dominantseptskalen und ist ideal für die »Zehn grundlegenden Patterns«, da sie aus zweitaktigen Phrasen aufgebaut ist. Wenden Sie die verschiedenen Konzepte an, die im Kapitel »Melodische Entwicklung« besprochen wurden.

Seien Sie beim Improvisieren vorsichtig mit der Verwendung der Quarte der Dur- und Dominantseptskalen. Dieser Ton sollte nicht betont werden, kann aber als Durchgangston gespielt werden. Wenn die Quarte betont werden muß, dann die übermäßige. Die Quarte der Mollskala klingt ausgezeichnet.

Es kann sehr interessant sein, die verschiedenen Bluesskalen bei diesem Titel zu verwenden. Fangen Sie mit der C Bluesskala an, spielen Sie dann die A♭ Bluesskala, gefolgt von der D Bluesskala und schließlich wieder die Bluesskala in C. Die Bluesskala bringt verschiedene skalenfremde Töne und trägt dadurch zu einer neuen Klangfarbe bei. Sie klingt gut, wenn sie nicht zu viel gespielt wird.

Nehmen Sie irgendeine zweitaktige Phrase und passen Sie sie den jeweiligen Skalen dieses Titels an. Üben Sie *Double-Time*-Passagen (16tel-Noten-Passagen) – spielen Sie alle Achtel-Patterns im doppelten Tempo.

Spielen Sie einige Chorusse mit den schönen Tönen in halben und ganzen Noten. Die schönen Töne in Dur- und Dominantsept sind die 6, 7, 9 und ♯4. Schöne Töne in Moll sind die 6, 7, 9 und 4.

CD Track 11, Moll – Dominantsept: Siehe Musikbeispiel Seite 133.

Übungen in C

CD Track 3 F–, E♭–, D– – Alle Beispiele *legato*

CD TRACK 6 Viertaktige Kadenzen (2 x gespielt)

CD Track 9 Dominantsept Zyklus

Die folgenden Musikbeispiele passen nur zu den ersten vier Takten! Sie müssen zu den anderen Akkorden transponiert werden. Spielen Sie alle Beispiele gebunden.

CD Track 11 Moll – Dominantsept (in alle anderen Tonarten transponieren!)

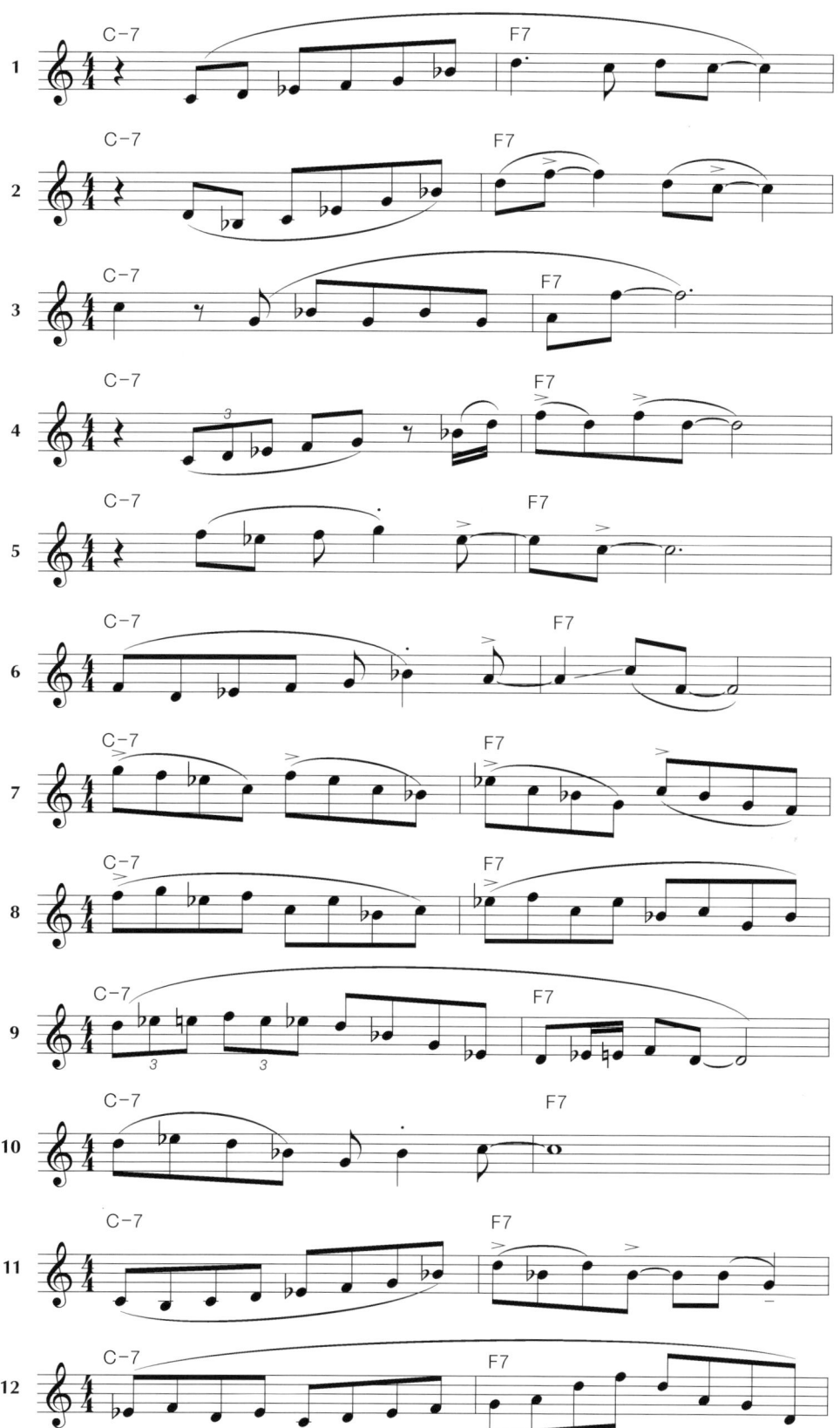

Jamey Aebersold – Ein neuer Weg zur Jazz Improvisation

Play-Along CDs und Bücher für alle Instrumente und für Vokalisten. Jede Folge beinhaltet eine CD und ein Heft mit Themen und Akkordfolgen für alle Instrumente (C-B♭-E♭- und Bass-Schlüsselinstrumente, außer Vol. 107, 113, 117). Die spezielle Stereoaufzeichnung – linker Kanal Bass und Drums, rechter Kanal Piano oder Gitarre und Drums – ermöglicht auch Bassisten, Pianisten und Gitarristen mitzuspielen. Bitte beachten Sie: Aus Copyright-Gründen kann sich kurzfristig der Inhalt der Ausgaben ändern.

VOL. 1 EIN NEUER WEG ZUR JAZZ IMPROVISATION
14001-2 (CD/136 SEITEN – DEUTSCH)
14001-E (CD/BOOK – ENGLISH)
14001-F (CD/LIVRE – FRENCH)
14001-S (CD/LIBRO – SPANISH)
6. überarbeitete und erweiterte deutsche Ausgabe, Übungen für alle Instrumente, Blues, modale Stücke, Pentatonik, Chromatik, Entwicklung und Aufbau eines Solos, Modi, II-V7 Verbindungen, Bluesthemen, Patterns, Skalenverzeichnis etc.

VOL. 1 PIANO VOICINGS
9104

BASS LINES
15065
Transkribierte Bass Lines von Vol. 1 & 3 der Aebersold Play-Along Reihe.

VOL. 2 NOTHIN' BUT BLUES
14002-2 (CD/34 SEITEN)
11 Blues in versch. Tonarten und Stilen

VOL. 3 DIE II-V7-I VERBINDUNG
14003-2 (CD/38 SEITEN)
(Deutsche Ausgabe) II-V7-I Verbindungen in allen Tonarten, 120 ausgeschriebene Patterns, Piano-Voicings u. Skalenverzeichn.

VOL. 3 THE II-V7-I PROGRESSION (E)
14003-E (CD/38 PAGES)

BASS LINES
15065
Transkribierte Bass Lines von Vol. 1 & 3 der Aebersold Play-Along Reihe.

VOL. 4 MOVIN' ON
14004-2 (CD/65 SEITEN)
9 Stücke von Aebersold und Haerle.

VOL. 5 TIME TO PLAY MUSIC
14005-2 (CD/32 PAGES)

VOL. 6 ALL BIRD
14006-2 (CD/40 PAGES)

VOL. 6 BASS LINES #1
15002
Transkribierte Bass Lines von Vol. 6 der Aebersold Play-Along Reihe.

VOL. 7 MILES DAVIS
14007-2 (CD/32 PAGES)

VOL. 8 SONNY ROLLINS
14008-2 (CD/34 PAGES)

VOL. 9 WOODY SHAW
14009-2 (CD/45 PAGES)

VOL. 10 DAVID BAKER
14010-2 (CD/40 PAGES)
8 Baker Originale

VOL. 11 HERBIE HANCOCK
14011-2 (CD/49 PAGES)

VOL. 12 DUKE ELLINGTON
14012-2 (CD/52 PAGES)

RON CARTER BASS LINES
15023
Transkribierte Bass Lines von Vol. 12 der Aebersold Play-Along Reihe.

VOL. 13 CANNONBALL ADDERLEY
14013-2 (CD/58 PAGES)

VOL. 14 BENNY GOLSON
14014-2 (CD/BOOK)

VOL. 15 PAYIN' DUES
14015-2 (CD/BOOK)
Diese acht Titel basieren auf den Akkordfolgen von: Stella By Starlight, Body And Soul, Cherokee, I'll Remember April, There Will Never Be Another You, What Is This Thing Called Love a.o.

VOL. 15 BASS LINES #2
15039
Transkribierte Bass Lines von Vol. 15 der Aebersold Play-Along Reihe.

VOL. 16 TURNAROUNDS, CYCLES AND IIV7S
14016-2 (2 CDS/62 PAGES)
Weiterführung von Vol. 3: 5 Turnaround Tracks, 6 Cycle Tracks, Coltrane Blues, Some Of The Things I Am (Übung mit II-V7 Substituten), 6 II-V7 Tracks etc.

VOL. 17 HORACE SILVER
14017-2 (CD/38 PAGES)

VOL. 18 HORACE SILVER
14018-2 (CD/65 PAGES)

VOL. 19 DAVID LIEBMAN
14019-2 (CD/38 PAGES)

VOL. 20 JIMMY RANEY
14020-2 (CD/61 PAGES)

VOL. 21 GETTIN' IT TOGETHER
14021-2 (2 CDS/64 PAGES)
31 Aufnahmen durch alle Dur- und Molltonarten (dorisch, harmonisch u. melodisch), Dominantseptakkorde, halbvermindert, sus 4, lydisch

VOL. 22 13 FAVORITE STANDARDS
14022-2 (2 CDS/58 PAGES)

VOL. 23 ONE DOZEN STANDARDS
14023-2 (2 CDS/50 PAGES)

VOL. 24 MAJOR AND MINOR
14024-2 (2 CDS/29 PAGES)
30 Aufnahmen in allen Tonarten

VOL. 25 17 ALL-TIME STANDARDS
14025-2 (2 CDS/68 PAGES)

STEVE GILMORE BASS LINES
15010
Transkribierte Bass Lines von Vol. 25 der Aebersold Play-Along Reihe.

VOL. 26 THE SCALE SYLLABUS
14026-2 (2 CDS/25 SEITEN)
David Liebman (Sopransaxophon) und Jamey Aebersold (Piano) spielen alle Skalen des Skalenverzeichnis'.

SCALE SYLLABUS SOLOS
7115
Transkribiert v. Vol. 26. der Aebersold Serie

VOL. 27 JOHN COLTRANE
14027-2 (CD/34 PAGES)

VOL. 28 JOHN COLTRANE
14028-2 (CD/42 PAGES)

VOL. 29 PLAY DUETS WITH J. RANEY
14029-2 (CD/41 PAGES)
Exzellentes Set für Gitarristen, Pianisten, Bassisten oder Drummer. Alle Duette sind in C notiert. Die Akkordfolgen wurden für B♭ und E♭ Instrumente transponiert.

JIMMY RANEY SOLOS
10275
Gitarren Soli, transkribiert von Vol. 29 der Aebersold Play-Along Serie

VOL. 30A RHYTHM SECTION WORK-OUT (PIANO/GUITAR)
14030A-2 (CD/71 PAGES)
Das Buch enthält Piano und Gitarren Voicings, transkribierte Bass Lines und Soli, transkribierte Soli von Jack Petersen und Dan Haerle.

VOL. 30B RHYTHM SECTION WORK-OUT (BASS/DRUMS)
14030B-2 (CD/71 PAGES)
Das Zusammenspiel in der Rhythmusgruppe

VOL. 31 BOSSA NOVAS
14031-2 (CD/76 PAGES)

VOL. 32 BALLADS
14032-2 (CD/36 PAGES)

VOL. 33 WAYNE SHORTER
14033-2 (2 CDS/93 PAGES)

VOL. 34 JAM SESSION
14034-2 (2 CDS/72 PAGES)

JAM SESSION BASS LINES
15021
Transkribierte Bass Lines von Vol. 34 der Aebersold Play-Along Reihe.

VOL. 35 CEDAR WALTON
14035-2 (CD/42 PAGES)

VOL. 35 BASS LINES #3
15003
Transkribierte Bass Lines von Vol. 35 der Aebersold Play-Along Reihe.

VOL. 36 BEBOP & BEYOND
14036-2 (CD/64 PAGES)

VOL. 37 SAMMY NESTICO
14037-2 (CD/70 PAGES)

VOL. 37 BASS LINES
15067
Transkribierte Bass Lines von Vol. 37 der Aebersold Play-Along Reihe.

VOL. 38 BLUE NOTE
14038-2 (2 CDS/72 PAGES)

VOL. 39 SWING, SWING, SWING
14039-2 (CD/36 PAGES)

VOL. 40 'ROUND MIDNIGHT
14040-2 (2 CDS/82 PAGES)

VOL. 41 BODY & SOUL
14041-2 (2 CDS/82 PAGES)

JAZZ PIANO VOICINGS
9107
44 page book. Transcribed comping from Volume 41 »Body & Soul« of the Aebersold play-along (selected choruses).

BASS NOTES
15012 (BOOK W/PLAY-ALONG CD)
Transcriptions and analysis of real jazz bass lines from Aebersold play-alongs Vol. 41. »Body And Soul«

VOL. 42 BLUES IN ALL KEYS
14042-2 (CD/60 PAGES)

ELECTRIC BASS LINES
15064
Transkribierte Bass Lines von Vol. 42 der Aebersold Play-Along Reihe.

BLUES BASS LINES
15035 (CD/32 PAGES)
New edition. From Vol. 42 of Aebersolds Play-A-Long Series. As played by Bob Cranshaw and transcribed exactly as recorded.

NIEHAUS PLAYS THE BLUES E♭
7105 (mit CD)

NIEHAUS PLAYS THE BLUES B♭
7103 (mit CD)
Soli zu Aebersold Vol. 42 »Blues In All Keys«

NIEHAUS PLAYS THE BLUES C
7106 (mit CD)

VOL. 43 GROOVIN' HIGH
14043-2 (CD/54 PAGES)

VOL. 44 AUTUMN LEAVES
14044-2 (CD/50 PAGES)

VOL. 45 BILL EVANS
14045-2 (CD/41 PAGES)

VOL. 46 OUT OF THIS WORLD
14046-2 (CD/47 PAGES)

VOL. 47 »I GOT RHYTHM« CHANGES IN ALL KEYS
14047-2 (CD/96 PAGES)

VOL. 48 IN A MELLOW TONE
14048-2 (CD/40 PAGES)

BASS NOTES
15012 (BOOK W/PLAY-ALONG CD)
Transcriptions and analysis of real jazz bass lines from Aebersold play-alongs Vol. 41. »Body And Soul«

VOL. 49 SUGAR
14049-2 (CD/40 PAGES)

VOL. 50 THE MAGIC OF MILES
14050-2 (CD/36 PAGES)

VOL. 50 PIANO VOICINGS
9102 € 20.50
Von Vol. 50 der Aebersold Play-Along Reihe

VOL. 51 NIGHT & DAY
14051-2 (CD/77 PAGES)

VOL. 52 COLLECTOR'S ITEMS
14052-2 (CD/77 PAGES)

VOL. 54 MAIDEN VOYAGE
14054-2 (CD/71 PAGES)

VOL. 54 PIANO VOICINGS
9103

VOL. 54 JAZZ BASS LINES
15004
Transkriptionen von Vol. 54 der Aebersold Play-Along Reihe.

VOL. 54 JAZZ DRUM STYLE & ANALYSIS
13297 (BOOK W/CD)

VOL. 54 SOLOS FOR TRUMPET
1204 (BOOK W/CD)

VOL. 54 "MAIDEN VOYAGE" JAZZ SOLOS FOR TROMBONE
3102 (30 PAGES W/CD)

VOL. 54 "MAIDEN VOYAGE" JAZZ SOLOS (ALTO SAX)
7126 (31 PAGES W/CD)

VOL. 54 "MAIDEN VOYAGE" JAZZ SOLOS (TENOR-, SOPRANO SAX & CLARINET)
7127 (31 PAGES W/CD)

VOL. 55 JEROME KERN JAZZ CLASSICS
14055-2 (CD/65 PAGES)

VOL. 55 JAZZ PIANO VOICINGS
9106
Piano Comping von Vol. 55 der Aebersold Play-Along Reihe.

BASS NOTES
15012 (BOOK W/PLAY-ALONG CD)
Transcriptions and analysis of real jazz bass lines from Aebersold play-alongs Vol. 41. »Body And Soul«

VOL. 56 THELONIOUS MONK
14056-2 (CD/45 PAGES)

VOL. 57 MINOR BLUES IN ALL KEYS
14057-2 (CD/53 PAGES)

VOL. 58 UNFORGETTABLE
14058-2 (CD/69 PAGES)

VOL. 59 INVITATION
14059-2 (2 CDS/88 PAGES)

VOL. 60 FREDDIE HUBBARD JAZZ FAVORITES
14060-2 (CD/63 PAGES)

»FREDDIE HUBBARD« TRANSCRIBED PIANO COMPING
9112
Von Vol. 60 der Aebersold Play-Along Reihe.

VOL. 61 BURNIN'!!!
14061-2 (CD/80 PAGES)

VOL. 62 WES MONTGOMERY
14062-2 (CD/48 PAGES)

VOL. 63 TOM HARRELL
14063-2 (CD/71 PAGES)

VOL. 64 SALSA LATIN JAZZ
14064-2 (CD/50 PAGES)

»SALSA/LATIN JAZZ« TRANSCRIBED PIANO COMPING
9110
Von Vol. 64 der Aebersold Play-Along Reihe.

VOL. 65 »FOUR« AND MORE
14065-2 (2 CDS/93 PAGES)

VOL. 66 BILLY STRAYHORN/ LUSH LIFE
14066-2 (CD/61 PAGES)

VOL. 67 TUNE UP
14067-2 (CD/88 PAGES)

VOL. 68 GIANT STEPS
14068-2 (CD/92 PAGES)

VOL. 69 BIRD GOES LATIN
14069-2 (CD/66 PAGES)

VOL. 70 KILLER JOE
14070-2 (CD/52 PAGES)
Ähnlich wie Vol. 54 – langsamere Tempi und einfache Akkordfolgen.

VOL. 70 PIANO VOICINGS
9105

KILLER JOE BASS LINES
15017
Transkriptionen von Vol. 70 der Aebersold Play-Along Reihe.

KILLER JOE
13295 (BOOK W/CD)
Play-along book & CD set for drummers. Transcribed drumming from Vol. 70 "Killer Joe" of the Aebersold play-along series.

VOL. 71 EAST OF THE SUN
14071-2 (CD/50 PAGES)

VOL. 72 STREET OF DREAMS
14072-2 (CD/51 PAGES)

VOL. 73 STOLEN MOMENTS
14073-2 (CD/73 PAGES)
11 jazz favorites by Oliver Nelson

VOL. 74 LATIN JAZZ
14074-2 (CD/65 PAGES)

VOL. 75 COUNTDOWN TO GIANT STEPS
14075-2 (2 CDS/105 PAGES)
In »Countdown to Giant Steps« the musician can break the tune into manageable segments and tempos, and then slowly work up towards ›Coltrane speed‹.

VOL. 76 HOW TO LEARN TUNES
14076-2 (CD/91 PAGES)
This set present a clear and easy method for learning and memorizing melodies and chord changes to any tune in any key.

VOL. 77 PAQUITO D'RIVERA
14077-2 (CD/80 PAGES)
Latin, Brazilian, Caribbean, Jazz & Beyond

VOL. 78 JAZZ "HOLIDAY" CLASSICS
14078-2 (CD/67 PAGES)

VOL. 79 AVALON
14079-2 (CD/67 PAGES)

VOL. 80 INDIANA
14080-2 (CD/83 PAGES)

VOL. 81 CONTEMPORARY STANDARDS & ORIGINALS WITH THE DAVID LIEBMAN GROUP
14081-2 (CD/81 PAGES)

DAVID LIEBMAN PLAYS
14221 (CD)
CD of Lieb's playing and soloing along with Vol. 81. A great opportunity to listen to a master's interpretation of these contemporary and inventive arrangements.

VOL. 82 DEXTER GORDON
14082-2 (CD/81 PAGES)

VOL. 83 THE BRECKER BROTHERS
14083-2 (CD/59 PAGES)

VOL. 84 DOMINANT 7TH WORKOUT
14084-2 (2 CDS/112 PAGES)
This unique play-along explores and describes different ways jazz masters have used the dom. 7 sound for color and texture.

VOL. 85 TUNES YOU THOUGHT YOU KNEW
14085-2 (CD/57 PAGES)

VOL. 86 SHOUTIN' OUT – THE MUSIC OF HORACE SILVER
14086-2 (CD/73 PAGES)

VOL. 87 BENNY CARTER
14087-2 (CD/81 PAGES)

VOL. 88 MILLENNIUM BLUES
14088-2 (CD/65 PAGES)

VOL. 89 DARN THAT DREAM
14089-2 (CD/71 PAGES)

VOL. 90 ODD TIMES
14090-2 (CD/40 PAGES)

VOL. 91 PLAYER'S CHOICE
14091-2 (CD/57 PAGES)

VOL. 92 LENNIE NIEHAUS
14092-2 (CD/88 PAGES)

VOL. 93 WHAT'S NEW
14093-2 (CD/72 PAGES)

VOL. 94 HOT HOUSE
14094-2 (CD/81 PAGES)

VOL. 95 500 MILES HIGH
14095-2 (74 PAGES W/CD)

VOL. 96 LATIN QUARTER
14096-2 (90 PAGES W/CD)
A unique collection of contemporary compositions from »The Caribbean Jazz Project« with the original personnel. Dave Samuels, Vibes; Steve Kahn, Guitar; Dario Eskenazi, Piano; Ruben Rodriguez/ Oscar Stagnaro, Bass; Mark Walker/Robie Ameen, Drums; Richie Flores, Percussion.

VOL. 97 STANDARDS WITH STRINGS
14097-2 (CD/57 PAGES)

VOL. 98 ANTONIO CARLOS JOBIM - AUTHENTIC BRAZILIAN BOSSA NOVAS
14098-2 (99 PAGES W/CD)

VOL. 99 TADD DAMERON - SOULTRANE
14099-2 (57 PAGES W/CD)

VOL. 100 ST. LOUIS BLUES
140100 (BOOK W/CD)

VOL. 101 ANDY LAVERNE – SECRET OF THE ANDES
14101-2 (57 PAGES W/CD)

VOL. 102 JERRY BERGONZI – SOUND ADVICE
14102-2 (72 PAGES W/CD)

VOL. 103 DAVID SANBORN
14103-2 (63 PAGES W/CD)

VOL. 104 KENNY WERNER – FREEPLAY
14104-2 (32 PAGES W/CD)

VOL. 105 DAVE BRUBECK
140105-2 (65 PAGES W/CD)

VOL. 106 LEE MORGAN
140106-2 (73 PAGES W/CD)

VOL. 107 IT HAD TO BE YOU
140107 (BOOK W/2CDS)
Only for Singers!

VOL. 108 INNER URGE - JOE HENDERSON
140108 (BOOK W/CD)

VOL. 109 FUSION
140109 (BOOK W/CD)

VOL. 110 WHEN I FALL IN LOVE - ROMANTIC BALLADS
140110 (BOOK W/CD)

VOL. 111 J. J. JOHNSON
140111 (BOOK W/CD)
The man who brought the trombone to the front of the band was also known as an amazing composer. This set is a fitting tribute to his legacy.

VOL. 112 COLE PORTER
140112 (BOOK W/2CDS)
21 Great Standards

VOL. 113 VOCAL STANDARDS
140113 (BOOK W/2CDS)
Only for Singers!

VOL. 114 GOOD TIME!
140114 (88 PAGES W/4CDS)
The best way to develop a sense of "good time" and "playing in the groove" is to play with the best musicians available, and they come not better than drummer Adam Nussbaum, bassist Jay Anderson and pianist Steve Allee.
This 4-CD set includes 14 practice play-along tracks with various tempos and styles, based on chord progressions that jazz players love. J. Aebersold wrote the songs in this book, with transposed parts for all instruments in the post-bebop style of jazz.
This is a special play-a-long with 4 CDs of outstanding accompaniment. Instrumentalists can play with any of the CDs. Your ears will improve and your time will get much better. Pianists and guitarists will have fun soloing and comping with the various CDs. You can even have your own jam session with friend since there are four combinations of mixes.

VOL. 115 RON CARTER
140115 (64 PAGES W/2CDS)
Intermediate/Advanced. For all instruments. This play-along is the first of its kind to feature both piano and guitar accompaniment. Ron performs his best original music with his quartet. Recorded in New York.

VOL. 116 MILES OF MODES
140116 (66 PAGES W/2CDS)
30 Exciting Tracks. All Levels.
Includes: *Simplicity, Minorish, Simply*

VOL. 117 COLE PORTER FOR SINGERS
140117 (60 PAGES W/2CDS)
All Levels. 14 of the greatest standards ever written now in keys specifically designed for singers. Includes a book and 2 CDs - one CD for high voice and the other CD for low voice - so all singers, men and women, can find a key comfortable for their personal range. The book includes all of the songs written in both keys with lyrics clearly notated over the melody line.

VOL. 118 JOEY DEFRANCESCO
140118 (68 PAGES W/CD)
All Levels. The organ play-alongs have been some of our most popular. Staying in that tradition, this play-along features one of jazz's greatest B-3 players, Joey DeFrancesco, with his working trio groovin' on Blues, Standards and originals.

VOL. 119 BOBBY WATSON
140119 (88 PAGES W/CD)

VOL. 120 FEELIN' GOOD - BLUES IN B-3
140120 (56 PAGES W/CD)
All Levels.

VOL. 121 PHIL WOODS
140121 (76 PAGES W/CD)

VOL. 122 JIMMY HEATH
140122 (77 PAGES W/CD)

VOL. 123 NOW'S THE TIME
140123 (65 PAGES W/CD)

VOL. 124 BRAZILIAN JAZZ
140124 (86 PAGES W/CD)
The latest trends in bossa-nova and beyond

VOL. 125 CHRISTMAS CAROL CLASSICS
140125 (68 PAGES W/CD)

VOL. 126 RANDY BRECKER
140126 (80 PAGES W/2CDS)

VOL. 127 EDDIE HARRIS - LISTEN HERE
140127 (64 PAGES W/CD)

VOL. 128 DJANGO REINHARDT "GYPSY JAZZ"
140128 (65 PAGES W/CD)

LITERATUREMPFEHLUNGEN

Improvising Jazz - Jerry Coker (deutsche Übersetzung erschienen bei Advance Music)
Patterns for Jazz - Jerry Coker
Listening to Jazz - Jerry Coker
A Complete Method of Jazz Improvisation - Jerry Coker
Jazz Piano for Pianists and Non-Pianists - Jerry Coker
Jazz Improvisation - David Baker (deutsche Übersetzung erschienen bei Advance Music)
Piano Voicings - Jamey Aebersold (transkribiert von Vol. 1)
The Contemporary Jazz Pianist - Bill Dobbins (4 Bände)
Jazz/Rock Voicings - Dan Haerle (deutsche Übersetzung erschienen bei Advance Music)
Guitar Improvisation - Barry Galbraith (Buch und LP)
Guitar Comping - Barry Galbraith (Buch und LP)
The Fingerboard Workbook - Barry Galbraith (Gitarre)
Daily Exercises in Melodic & Harmonic Minor Modes - Barry Galbraith (Gitarre)
The Evolving Bassist - Rufus Reid (deutsche Übersetzung erschienen bei Advance Music)
Bass Tradition - Todd Coolman
Jazz Drumming - Billy Hart (Buch und Mitspielkassette)
The New Real Book - Chuck Sher
The World's Greatest Fake Book - Chuck Sher
Professional Chord Changes & Substitutions for 100 Tunes - Dick Hyman

Jazz Soli/Transkriptionen

Charlie Parker Omnibook für Instrumente in Eb, Bb, C und im Baßschlüssel
Jazz Styles & Analysis for Trombone - David Baker
Jazz Styles & Analysis for Alto Sax - Harry Miedema
Modern Jazz Tenor Solos - transkribiert von Hunt Butler
J.J. Johnson Solos - transkribiert von David Baker
The Bass Tradition - transkribiert von Todd Coolman
Art Farmer Solos - transkribiert von Don Erjavec
Miles Davis Solos (mit den original Prestige Aufnahmen)
Clifford Brown Solos - transkribiert von Ken Slone
Chet Baker Solos - transkribiert von Thorsten Wollmann
The Duo Live - David Liebman und Richie Beirach Soli transkribiert
von Bill Dobbins (Buch und LP)
John Coltrane Solos - transkribiert von Don Sickler
Joe Henderson Solos - transkribiert von Don Sickler
Wes Montgomery Guitar Folio - transkribiert von Steve Kahn
Jimmy Raney Solos (zu Vol. 29)
Bill Evans Piano Solos (4 Bände)
Chick Corea/Now He Sings, Now He Sobs - transkribiert von Bill Dobbins